Übersicht Nordseeküsten-Radweg 2

Von Hamburg zur dänischen Grenze

- Büsum — Ort mit Stadtplan
- Nordseeküsten-Radweg
- Staatsgrenze
- Blattschnitte der Karten im Maßstab 1:50 000 mit Seitenangabe (Farbe enspricht dem Schwierigkeitsgrad der Tour)

Inhalt

Von der Elbe nach Nordfriesland am Weltnaturerbe Wattenmeer

Kartenlegende siehe Seitenklappe und Umschlaginnenseite

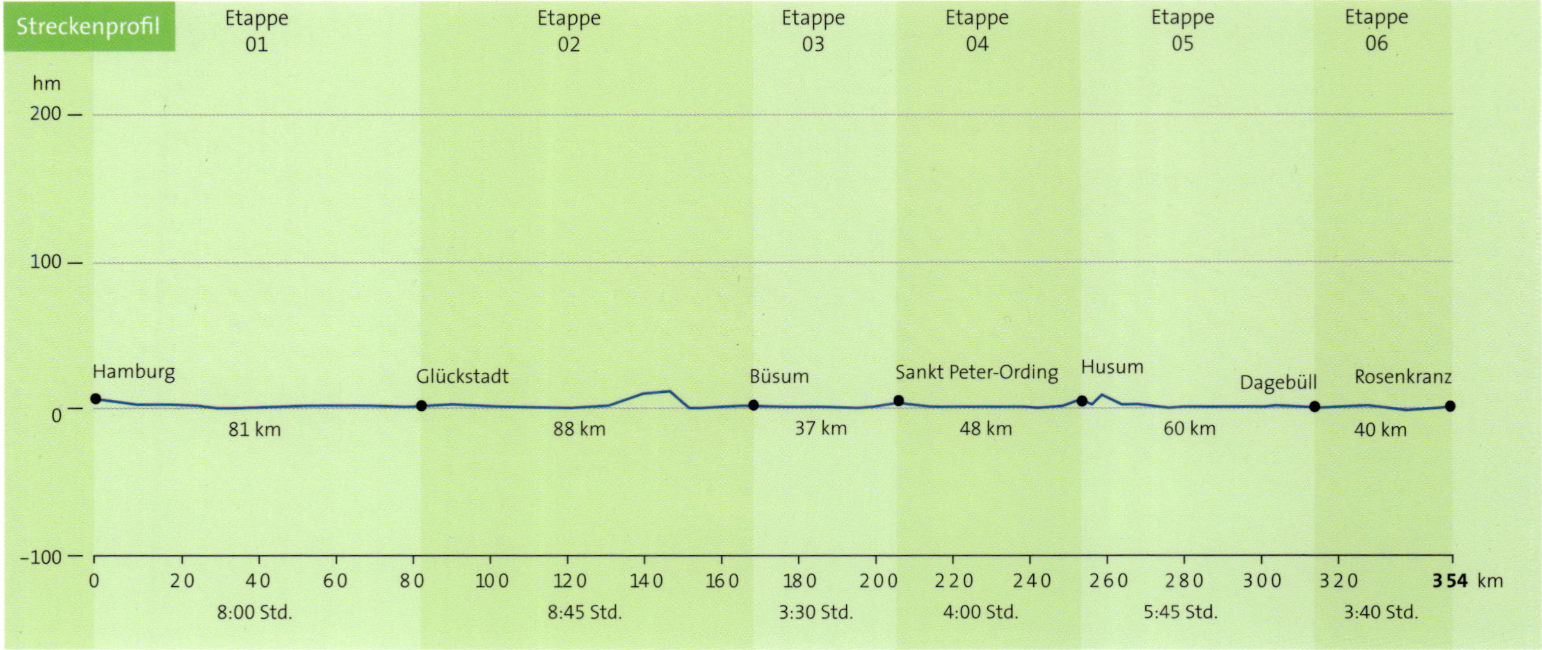
Streckenprofil
Etappe 01
Etappe 02
Etappe 03
Etappe 04
Etappe 05
Etappe 06
hm
200
100
0
−100
Hamburg
Glückstadt
Büsum
Sankt Peter-Ording
Husum
Dagebüll
Rosenkranz
81 km
88 km
37 km
48 km
60 km
40 km
0
20
40
60
80
100
120
140
160
180
200
220
240
260
280
300
320
354 km
8:00 Std.
8:45 Std.
3:30 Std.
4:00 Std.
5:45 Std.
3:40 Std.

ETAPPENÜBERSICHT

Etappe	Seite	Schwierigkeitsgrad	Fahrzeit (in Std.)	Länge (in km)	Höhenmeter Auffahrt	Höhenmeter Abfahrt	Parkplatz	Öffentliche Verkehrsmittel	Einkehr	Übernachtungsmöglichkeit	Kinderfreundlich	Rennradtauglich	Bademöglichkeit	Panoramatour	Kultur-Highlight	Autoren-Highlight
01 Hamburg – Wedel – Glückstadt In die Elbmarschen in Hamburgs Westen	18	●	8:00	81	2	7	√	√	√	√	√	–	√	√	√	√
02 Glückstadt – Brunsbüttel – Büsum Durch Dithmarschen zur Meldorfer Bucht	40	●	8:45	88	16	15	√	√	√	√	√	–	√	–	√	√
03 Büsum – Sankt Peter-Ording Eidersperrwerk, Katinger Watt, Pfahlbauten, Sandstrände	70	●	3:30	37	4	2	√	√	√	√	√	–	√	(√)	√	√
04 Sankt Peter-Ording – Garding – Husum Über die Halbinsel Eiderstedt in die bunte Stadt am Meer	86	●	4:00	48	5	4	√	√	√	√	√	–	√	√	√	√
05 Husum – Nordstrand – Dagebüll Im Reich der Halligen und Inseln	104	●	5:45	60	9	13	√	√	√	√	√	–	√	–	√	√
06 Dagebüll – Niebüll – Rosenkranz/Rudbøl Von der Nordsee zur dänischen Grenze	126	●	3:40	40	4	4	√	√	√	√	√	–	√	(√)	√	√
			33:40	354	40	45										

√ Ja – Nein (√) Bedingt

Vorwort

Leuchttürme, Häfen und Salzwiesen von der Elbe bis Sylt.

Von Hamburg folgt der Nordseeküsten-Radweg den Elbdeichen zur Seehafenstadt Brunsbüttel am Beginn des Nord-Ostsee-Kanals, schlängelt sich durch die grüne Weite Dithmarschens zu den Sandstränden von Sankt Peter-Ording und ins malerische Husum, ehe er mit Blick auf Halligen und Inseln der Wattenmeerküste folgt und in der paradiesischen Naturlandschaft Nordfrieslands den äußersten Norden Deutschlands erreicht. Flotte Asphalt- und Klinkerwege im Binnenland und an den Seedeichen, ab dem Seebad Büsum durchgehend in der Hauptwindrichtung, machen die Fahrt am Weltnaturerbe Wattenmeer mit seinen von den Gezeiten geprägten Watten, Halligen, Inseln, Sandstränden und Salzwiesen in einem der zugvogelreichsten Gebiete der Erde zum Hochgenuss. Die Inseln sind auch mit dem Fahrrad erreichbar, im äußersten Norden lockt als krönender Abschluss der Abstecher zu Deutschlands Sport- und Wellnessinsel Nummer 1, nach Sylt.

City-Highlights sind neben den maritim geprägten Elbhäfen das Seebad Sankt Peter-Ording und die Storm-Stadt Husum, das eigentlich Faszinierende des Nordseeküsten-Radwegs ist die Natur im Bann der amphibischen Wattenmeerlandschaft: Salzwiesen mit Blick auf Halligen und Inseln, riesige Zugvogelschwärme, reetgedeckte Gasthöfe und Gehöfte, Häfen und Seebadestellen sowie Leuchttürme, die wie der Westerhever zu den bekanntesten Deutschlands zählen.

Das Fahren in der jodisierten, durch die Brandung zerstäubten Seeluft wirkt wie eine natürliche Inhalation, sodass der Nordseeküsten-Radweg über den landschaftlichen Hochgenuss hinaus eine Thalassokur vom Feinsten ist: Radeln im Rauschen des Meeres ist eine der besten Therapien für Körper und Seele.

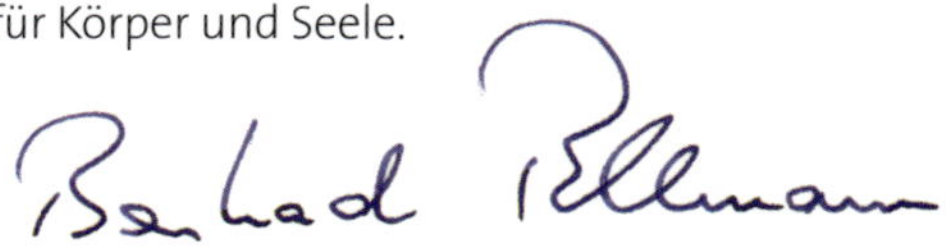

Bernhard Pollmann

lebt bei Emden am Nordseeküsten-Radweg und hat die Wege an den Meeren des Nordens sowie auf den Inseln des Weltnaturerbes Wattenmeer auf zahllosen Touren erwandert und durchradelt.

Zu seinen Büchern zählen auch die neuen KOMPASS-Fahrradführer „Nordseeküsten-Radweg 1 (Süd)“, „Nord-Ostsee-Kanal-Route“ sowie „Ostseeküsten-Radweg“ in drei Bänden.

Bernhard Pollmann: Meine persönlichen Highlights

Maritim geprägte Orte wechseln mit Naturschutzgebieten und Vogelbeobachtungsstätten – dazwischen immer wieder aussichtsreiche Rast auf dem Seedeich.

Von der Schleusenstadt Brunsbüttel spannt sich der Bogen der Highlights am Nordseeküsten-Radweg bis zum Krabbenkutterhafen von Büsum, vom Eidersperrwerk bis zu den „Pfahlbauten“ an den Sandstränden von Sankt Peter-Ording, vom Naturerlebniszentrum Katinger Watt bis zu den Vogelbeobachtungsstätten an der Meldorfer Bucht und im Reich der „Schwarzen Sonne“, wo Zugvögel abends zu Hunderttausenden aufsteigen und die Sonne verfinstern.

Brunsbüttel Die Schleusenmeile ist das maritime Erlebniszentrum am Beginn des Nord-Ostsee-Kanals vom Molenfeuer 4 an der Elbe bis zu den Schleusen-Aussichtsplattformen und zur Kanalfähre Brunsbüttel. ▶ **Etappe 02, Seite 63**

Eiderstedt Die Halbinsel im nordfriesischen Wattenmeer zwischen der Mündung der Eider und dem Heverstrom wartet mit kilometerlangen Sandstränden vor dem Westerhever Leuchtturm und vor dem Nordseeheilbad Sankt Peter-Ording, Deutschlands meistbesuchtem Seebad, auf. ▶ **Etappe 04, Seite 88, 100**

Husum Theodor Storms „graue Stadt am Meer“ mit Altstadt, Schlosspark, Nordseemuseum, Theodor-Storm-Haus und Binnenhafen ist das kulturelle Zentrum und City-Highlight Nordfrieslands. ▶ **Etappe 04, Seite 102**

Katinger Watt / Eidersperrwerk Der Naturerlebnisraum Katinger Watt nördlich des größten deutschen Sturmflutsperrwerks verbindet Naturschutz, Vogelbeobachtung und naturnahes Wandern. Feuchtbiotope wechseln mit aussichtsreichem Wiesenland, Vogelbeobachtungsständen und urtümlich wirkenden Wäldern. ▶ **Etappe 03, Seite 82/83**

Speicherkoog Der Speicherkoog ist das bedeutendste Vogelbeobachtungsgebiet, Wassersportzentrum und neben dem quirligen Nordseebad Büsum das Seebadeparadies Dithmarschens. ▶ **Etappe 02, Seite 67**

Beachten Sie die vom Autor empfohlenen und mit markierten Einkehrtipps

Marktplatz in Husum.

Das Gebiet

Mit dem Wind im Rücken in der würzigen Seeluft, Blick auf die Weite des Meeres, begleitet von den Rufen der Vögel und dem Blöken der Schafe im grünen Marschenland.

Von der Hansestadt Hamburg folgt der Nordseeküsten-Radweg den Elbdeichen zu den Schleusen von Brunsbüttel am Beginn des Nord-Ostsee-Kanals, schlängelt sich durch die grüne Weite Dithmarschens ins Seebad Büsum und zu den Sandstränden von Sankt Peter-Ording auf der Halbinsel Eiderstedt, berührt mit der malerischen Altstadt am Binnenhafen von Husum das City-Highlight nördlich der Elbe und folgt dann mit Hallig- und Insel-Blick der Wattenmeerküste in der paradiesischen Naturlandschaft Nordfrieslands zum Fährhafen Dagebüll, wo Abstecher auf die Inseln Amrum und Föhr lohnen, während am Bahnhof in Niebüll der Sylt-Shuttle zur größten deutschen Insel im Weltnaturerbe Wattenmeer startet.

Einstiegsmöglichkeiten

Die angenehme Fahrt in der Hauptwindrichtung beginnt in der Schleusenstadt Brunsbüttel, die jedoch leider nicht mit der Bahn erreichbar ist, weshalb sich bei starken Westwinden auch die per Bahn erreichbaren Städte Meldorf und Büsum als Einstiegspunkte anbieten. Dadurch verkürzt sich zwar die zu durchradelnde Strecke, aber man darf bei einer Radtour an der Nordsee den Faktor Wind nicht außer Acht lassen, zudem findet der Nordseeküsten-Radweg nördlich der Elbe erst an der Meldorfer Bucht bei Büsum zu seiner namensgebenden Bestimmung: er folgt der Nordseeküste.

Elbfähre bei Wischhaven–Glückstadt.

Elbabschnitt: Von Hamburg bis Brunsbüttel bläst einem normalerweise stark der Wind ins Gesicht, was Radler ohne gute Kondition berücksichtigen müssen. Hinzu kommt auf diesem Abschnitt der wegen der Gegenwind-Rückfahrt zur Elbe letztendlich sinnfreie Binnenlandabstecher in die Industriestadt Elmshorn, wo man sich am Anblick des Teppichhochhauses und des Karl-Marx-Platzes/Buttermarkt erbauen und Kölln-Flocken kaufen kann. Da die guten Elmshorner Haferflocken auch andernorts erhältlich sind, bleibt man also besser am grünen Elbdeich und spart sich die mindestens 30 km zum Karl-Marx-Platz/Buttermarkt und zurück.

Fähre nach Wedel: Bei Ostwindlage kann man herrlich in Hamburg starten. Die Alternative ist die von Altona mit der S-Bahn erreichbare Stadt Wedel, die zudem durch die Lühe-Schulau-Fähre mit dem Nordseeküsten-Radweg südlich der Elbe verbunden ist: Die Lühe-Schulau-Fähre verbindet als Personen- und Fahrradfähre den Anle-

Marsch

Die Marsch ist das etwa auf Meeresniveau gelegene, fruchtbare Küstenschwemmland zwischen dem Wattenmeer und dem Rand der hoch gelegenen Geest. Während diese überflutungssicher ist und schon vor Jahrtausenden besiedelt war, wird die flache Küstenebene erst seit ca. 1.000 Jahren durch Seedeiche vor der Überflutung geschützt und durch Kanäle, Siele und Schöpfwerke entwässert; die Nordseedeiche erreichen derzeit Höhen von ca. 9,00 m. An tidebeeinflussten Flussmündungen und Mündungsästuaren reicht die – auch hier durch Deiche gesicherte – Marsch weit ins Landesinnere hinein (Elbmarschen, Eidermarsch).

Entstehung: Das fruchtbare Marschland entsteht im Verlauf von Jahrhunderten durch natürliche Aufschlickung und Verlandung der Wattenmeerküste. Etwa 3 mm im Jahr erhöhen sich im Wechsel der Gezeiten die natürlichen Ablagerungen von Schlick, dem viele organische Stoffe beigemengt sind. Die wichtigste Pionierpflanze am Übergang vom Wattenmeer zur Marsch ist an der Hochwassergrenze der als Schlickfänger fungierende Queller, eine kleine grüne Pflanze, die Salz- und Regenwasser zu sich nimmt. Verlandet das Quellerwatt, bilden sich Salzwiesen, die schon so hoch liegen, dass sie nur noch selten überflutet werden.

Klei: Salzwiesen können nach ca. 300 Jahren durch einen winterfesten „Seedeich" eingedeicht werden; bis zu 600 Jahre lang gewachsen sind die „Kleimarschen", die fruchtbarsten Marschen. Das Wort „Klei" kommt von „kleben": Wer bei Nässe auf einem offenen Kleiboden läuft, sieht nach wenigen Schritten die Schuhe von einem derart fruchtbaren, zähen und schweren Erdbelag beklebt, dass beim Reinigen nur noch der Gartenschlauch oder Hochdruckreiniger hilft. Auch die Seedeiche werden aus Klei errichtet; das Gras auf den Deichen wird gedüngt und kurz gehalten von den Schafen, die zudem den Kleiboden feststampfen

Pionierpflanze Queller.

ger Lühe in der Gemeinde Grünendeich am niedersächsischen Südufer der Elbe mit dem Anleger am Willkomm-Höft am Schulauer Hafen in Wedel am schleswig-holsteinischen Nordufer. Die Fähre wird von vielen Nordseeküsten-Radweg-Fahrern genutzt, die die Großstadt Hamburg scheuen und vom Alten Land bei Stade direkt ans Nordufer der Elbe wechseln.

Elbmarschen und Dithmarschen

Die fruchtbaren Elbmarschen sind das ausgedehnte Marschland an der Unterelbe. Die weitflächig unter dem Meeresspiegel gelegene Wilstermarsch erstreckt sich zwischen Unterelbe, Stör, Nord-Ostsee-Kanal und Geestrand. Hauptort und Namensgeberin ist die Stadt Wilster, wichtigster Wirtschaftszweig ist die Viehhaltung. Auch das westlich angrenzende Dithmarschen, hervorgegangen aus einer mittelalterlichen Bauernrepublik, trägt den Begriff „Marsch" im Namen, umfasst jedoch zum Nord-Ostsee-Kanal hin auch weite Geestflächen wie bei Burg-Sankt Michaelisdonn. Brunsbüttel an der Abzweigung des Nord-Ostsee-Kanals von der Unterelbe ist der Elbvorort Dithmarschens.

Holstein

In der Stadt Wedel an der Unterelbe erreicht Holstein in der westlichen Nachbarschaft der Hansestadt Hamburg seine südlichsten Ausläufer. Holstein erstreckt sich von den Unterelbe-Landkreisen Pinneberg und Itzehoe im Süden bis zur Mündung des Nord-Ostsee-Kanals in die Kieler Förde, im Südwesten grenzt Holstein in etwa auf der Linie des Kanals an Dithmarschen und im Nordwesten an Schleswig.

Wedel: Die Stadt Wedel, die bis 1993 „Wedel/Holstein" hieß, ist aufgrund ihrer Lage am Südende des Ochsenwegs, der historischen Handels- und Heerstraße von der Unterelbe nach Dänemark, die traditionsreichste Schnittstelle zwischen den Gebieten südlich und nördlich der (Unter-)Elbe. In Wedel fand aufgrund dieser Lage schon im Mittelalter ein großer Viehmarkt statt, in Erinnerung daran wird in Wedel auch heute noch der Ochsenmarkt abgehalten. Wahrzeichen von Wedel ist der Roland.

Radwege-Beschilderung bei Brunsbüttel.

Nordsee: Natur-, Wirtschafts- und Kulturraum

Die Nordsee ist ein küstennahes Randmeer des Atlantischen Ozeans im nordwestlichen Europa, im Küstenbereich leben etwa 80 Millionen Menschen, der Nordseeküsten-Radweg folgt den Küsten auf einer Länge von 6.000 km. Die Wattenmeerküsten Deutschlands und der Niederlande stehen als Weltnaturerbe ebenso unter dem Schutz der UNESCO wie Geiranger- und Nærøyfjord in Norwegen. Die Anrainerstaaten sind marktwirtschaftlich orientierte, pluralistische Demokratien und bilden neben Nordamerika die wirtschaftlich-technisch innovativste, sozial sicherste und wohlhabenste Region der Erde, die südliche Nordsee und der westlich angrenzende Ärmelkanal sind die am dichtesten befahrene Schifffahrtsregion der Welt. Mit Ausnahme Norwegens sind die Nordsee-Anrainerstaaten Mitglieder der Europäischen Union, der 2012 der Friedensnobelpreis für ihren Beitrag zur friedlichen Entwicklung in Europa verliehen wurde.

INFO Nordseeküsten-Radweg

Die North Sea Cycle Route hat die sehr informative Website www.northsea-cycle.com; dort finden sich nach Ländern und Regionen geordnet die Infoadressen aller am Radweg liegenden Landkreise, Gemeinden und Städte.
Tourismus Marketing Niedersachsen, Theaterstr. 4–5, 30159 Hannover, www.reiseland-niedersachsen.de; Nordsee-Tourismus-Service GmbH, Zingel 5, 25813 Husum, www.nordseetourismus.de

Abgrenzung: Im Süden (Deutschland, Niederlande, Belgien, Frankreich), Westen (Britische Inseln) und Osten (Dänemark, Norwegen) wird die Nordsee nahezu durchgehend von Land umgeben. Nach Norden öffnet sie sich zwischen den Shetlandinseln und dem norwegischen Kap Stad zum Atlantik. Der östliche Ausläufer ist das Skagerrak: Die Linie zwischen dem dänischen Kap Skagen und dem südnorwegischen Kap Lindesnes markiert den äußersten Osten der offenen Nordsee.

Tiefe: Die Nordsee ist im Durchschnitt nur 100 m tief: Von ca. 3 m an den Wattenmeerküsten vergrößert sich die Tiefe nach Norden bis auf 200 m zwischen den Shetlandinseln und Norwegen. Am tiefsten ist die Nordsee mit bis zu 700 m in der Norwegischen Rinne vor der West- und Südküste Norwegens.

Name: Die Römer nannten die Nordsee vor 2.000 Jahren „mare Germanicum“: germanisches Meer. Als die Friesen vor etwa 1.200 Jahren die Küsten der südlichen Nordsee besiedelten, erhielt dieses Meer den Namen „Nordsee“. Dieser Name setzte sich international durch und steht auch in Dänemark gleichberechtigt neben dem traditionellen Namen „Vesterhavet“ (Westmeer).

Weltnaturerbe Wattenmeer

Die UNESCO hat das Nordsee-Wattenmeer 2009 zum Weltnatureerbe erklärt: Die Wattenmeer-Nationalparks von der Festlandsküste bis zu den Inseln und Halligen zählen zu den ästhetisch bedeutendsten und ökologisch sensibelsten Landschaften der Erde. Das „Wat-Meer“ fällt so flach in Richtung der offenen See ab, dass es sich bei niedrigen Wasserständen durchwaten lässt, das Gefälle beträgt vielfach weniger als 1 Promille, weniger als einen Höhenmeter pro 1.000 m. Infolge des sachten Gefälles kann sich hier leicht Feinmaterial ablagern, vor allem Sand und toniger Schlick. Die Watten zählen zu den produktivsten marinen Biosphären der Erde und sind eine

wichtige „Kinderstube“ für zahlreiche Fischarten der Nordsee (Scholle, Seezunge, Makrele, Hering, Sandgarnele). Die Fische wiederum bilden eine Nahrungsgrundlage für den Seehund.
Der Nationalpark Schleswig-Holsteinisches Wattenmeer erstreckt sich auf 4.410 km^2 bis zur Ellenbogenspitze auf Sylt, Deutschlands nördlichster Landesstelle; an den deutschen schließt der dänische Wattenmeer-Nationalpark Vadehavet an.

Walschutzgebiet: 1999 wurde vor den Inseln Sylt und Amrum das erste Walschutzgebiet Europas ausgewiesen, nachdem eine Auswertung ergeben hatte, dass direkt vor der meistbesuchten deutschen Nordseeinsel die größte Anzahl von Schweinswalen mit Jungen gezählt wurde. Der Nationalpark Schleswig-Holsteinisches Wattenmeer wurde so bis zur 12-Seemeilen-Grenze nach Westen erweitert und bewahrte die Nordsee vor Sylt vor dem Bau eines Offshore-Parks der Windkraftindustrie.

Tiere im Wattenmeer
Wattenmeer-Exkursionen werden häufig zu den „Big Five“, den „Small Five“ und den „Flying Five“ angeboten. Damit sind fünf große, fünf kleine und fünf fliegende Tiere des Wattenmeeres gemeint.

Die fünf kleinen Tiere des Wattenmeeres sind Strandkrabbe, Wattwurm, Herzmuschel, Nordseegarnele und Wattschnecke. Sie alle sind bestens angepasst an Überflutung und Trockenfallen, Salzwasser und Regen, Frost und sommerliche Hitze.

Naturschutzgebiet Katinger Watt; Schafe und Wildgänse.

Die fünf großen Tiere des Wattenmeeres in Nordfriesland sind Seehund, Schweinswal, Kegelrobbe, Seeadler und Stör.

Die fünf fliegenden Tiere, damit sind die fünf Vögel Austernfischer, Silbermöwe, Brandgans, Alpenstrandläufer und Ringelgans gemeint. In diesem Reigen vermisst mancher die Nonnengans: Auch sie sollte man kennen, und der Seeadler aus der Kategorie Big Five ist ebenfalls gefiedert.

Nordfriesische Inseln

Die Nordfriesischen Inseln sind die Inseln und Halligen im Nationalpark Schleswig-Holsteinisches Wattenmeer: die Geestkerninseln Sylt, Föhr und Amrum, die Marschinseln Pellworm und Nordstrand sowie die Halligen, die die Reste eines durch Sturmfluten zerschlagenen Marschlandes sind. Die Geest ist hoch und beeindruckt durch ein lebhaftes Relief mit Aussichtsdünen, Kliffs und kilometerlangen Stränden sowie durch Wälder wie auf Amrum; die Marsch ist flach und fruchtbar, wird landwirtschaftlich genutzt und benötigt, da sie durch jahrtausendelange natürliche Aufschlickung der Meeresablagerungen Millimeter um Millimeter enstanden ist, einen schützenden Seedeich, da sich die Nordsee das fruchtbare Land sonst zurückholt. Eine Sonderform der Marschinseln sind die Halligen: Sie haben nur einen niedrigen Sommerdeich, der die Hallig im Sommer vor Überflutung schützt, während es bei winterlichen Sturmfluten „Land unter“ heißt und nur noch die Gehöfte auf den Kappen der Warften aus den Fluten schauen. Die Fruchtbarkeit der Marschinseln sowie der Marschseiten der Geestkerninseln zieht saisonal Hunderttausende von Vögeln an; sie trinken auch das Süßwasser in den zahlreichen Kleipütten, die beim Aushub des Materials für den Deichbau entstanden sind, und baden darin.

Halligen

Halligen sind Marschinseln ohne Winterbedeichung im nordfriesischen Wattenmeer. Da sie die mittlere Hochwasserlinie nur um 1–2 m überragen, schütteten die friesischen Siedler Warften, Warfen bzw. Wurten genannte künstliche Siedlungshügel auf. Bei winterlichen Sturmfluten ragen meist nur die Hügel mit den Wohn- und Wirtschaftsgebäuden aus dem Wasser. Die größte Hallig ist Langeneß mit 16 bewohnten Warften und Lorenbahnverbindung zum Festlandshafen Dagebüll. Die mit der Hallig Appelland zusammengewachsene Hallig Gröde ist mit zehn Einwohnern auf zwei Warften die einwohnerschwächste Gemeinde Deutschlands.

Besiedlung: Einige Halligen besitzen einen niedrigen Sommerdeich, der das Grünland vor Überflutungen im Sommer schützt. Ebenso wie die mit hohen Seedeichen gesicherten Marschinseln Nordstrand und Pellworm sind die Halligen ein Teil des Marschlandes, das im Zusammenhang mit dem nacheiszeitlichen Meeresspiegelanstieg sowie durch Sturmfluten vom Festland getrennt wurde bzw. durch Schlickablagerungen der Nordsee entstand. Auf den Halligen wohnen etwa 300 Menschen. Ganzjährig bewohnt sind Langeneß, Oland, Gröde, Hooge, Nordstrandischmoor und Süderoog; hinzu kommen Habel, Hamburger Hallig (durch einen Deich mit dem Festland verbunden), Norderoog, Süderoog und Südfall.

Gezeiten: Hoch- und Niedrigwasser

Die Gezeiten oder Tiden sind die periodischen Wasserstandsschwankungen, die durch das komplexe Zusammenspiel der Anziehungs- und Fliehkräfte von Mond, Erde und Sonne erzeugt werden: Im Wechsel der halbtägigen Hauptmondtide von 12:42 Std. überschwemmt der Flutstrom weite Teile der Gezeitenküste, während sich das Wasser im ebenso mächtigen Ebbstrom wieder zurückzieht und die Küste trocken fällt. Der höchste Wasserstand wird Hochwasser genannt, der niedrigste Niedrigwasser. Radtouren am Wattenmeer sind am spannendsten und gesündesten bei auflaufendem Wasser kurz vor Hochwasser, während Wattwanderungen bei ablaufendem Wasser etwa 2 Stunden vor Niedrigwasser begonnen werden: spätestens bei Niedrigwasser muss der letzte Priel durchwatet sein. Die Kenntnis der Zeiten von Hoch- und Niedrigwasser ist eine Grundlage für Radtouren am Wattenmeer sowie für das Baden an Stränden und Seebadestellen. Praktisch ist die eigene Gezeitenuhr, z. B. auf dem iPhone; auch gute „Surferuhren“ haben eine integrierte Gezeitenuhr; eine Gezeitenuhr (Armbanduhr) für Urlauber wird im Nationalpark-Informationszentrum Multimar Wattforum in Tönning angeboten. Darüber hinaus werden die Zeiten für Hoch- und Niedrigwasser in der Presse bekannt gegeben und im „Gezeitenkalender“ gedruckt (erhältlich in der Buchhandlung) und sind auf der Website des Bundesamts für Seeschifffahrt und Hydrografie einsehbar (www.bsh.de).

Katharinenheerd auf der Halbinsel Eiderstedt am Nordseeküsten-Radweg.

Etappe 01 Hamburg – Wedel – Glückstadt

In die Elbmarschen in Hamburgs Westen

81 km | 8:00 Std. | 2 hm | 7 hm

GPS-Koordinaten / Start
UTM Zone 32 x: 564.300 m y: 5.933.400 m

Startort: Hamburg, 6 m

Start: Bei den Sankt-Pauli-Landungsbrücken, S- und U-Bahn-Knotenpunkt in Hamburg-Mitte am Nordufer der Elbe.

Ziel: Glückstadt, 1 m

Charakter: Fahrt gegen die Hauptwindrichtung auf überwiegend asphaltierten, teils auch geschotterten, teils naturbelassenen Wegen.

Verkehr: Mit Ausnahme der Stadtlagen überwiegen autofreie Deichwege sowie asphaltierte Landwirtschaftswege in der Marsch.

Tipp: Der Bahnhof Glückstadt liegt an der Marschbahn Elmshorn–Westerland, sodass die Strecke auch als Tagestour mit Rückkehr nach Hamburg per Bahn problemlos möglich ist.

Ausflugsziele / Sehenswürdigkeiten & Einkehrtipps siehe S. 34–39

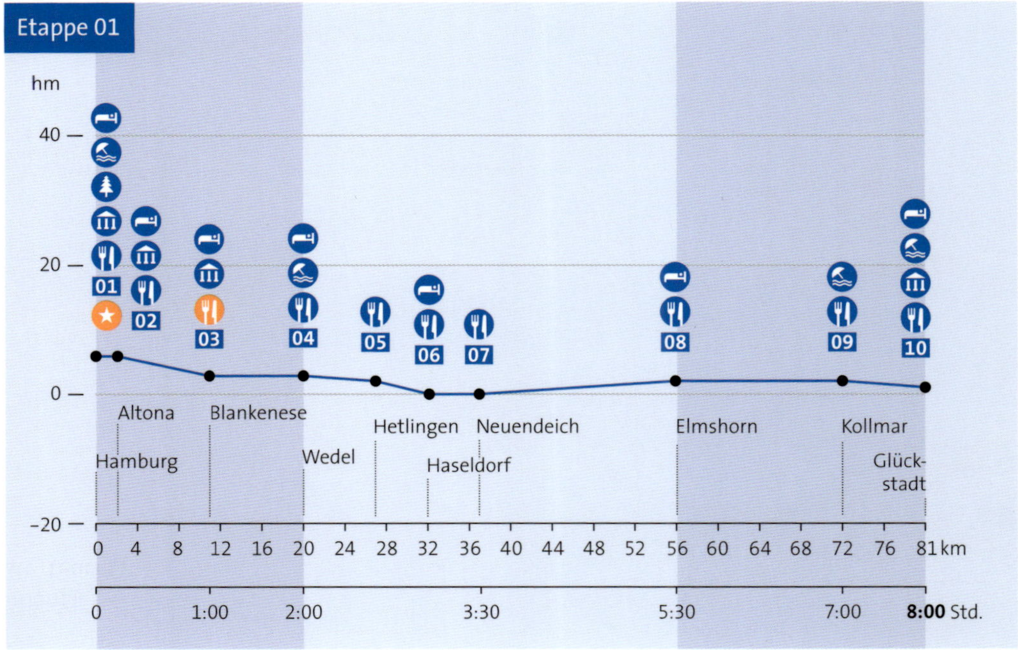

Von den Sankt-Pauli-Landungsbrücken im maritimen Herzen Hamburgs folgt der Nordseeküsten-Radweg dem hügeligen nördlichen Elbufer an der Altonaer Wasserfront zu den touristischen Brennpunkten Museumshafen Neumühlen, Övelgönne, Teufelsbrück, Blankenese und Wittenbergen und weiter in Hamburgs westliche Nachbarstadt Wedel, wo die Hamburg anlaufenden bzw. verlassenden Schiffe am Willkomm-Höft begrüßt werden. Die Wedeler Marsch ist die erste der Elbmarschen, wer auf den Schlenker landeinwärts nach Elmshorn verzichtet, kann geradeaus durchradeln bis Glückstadt.

Hamburg – Wedel / 20 km / 2:00 Std.

Start Die bekannten **Sankt-Pauli-Landungsbrücken** in **Hamburg Mitte** **01** sind die attraktivste maritime Sehenswürdigkeit der Hansestadt. Zwischen Niederhafen und Fischmarkt lädt dieser „Wasserbahnhof" zu jeder

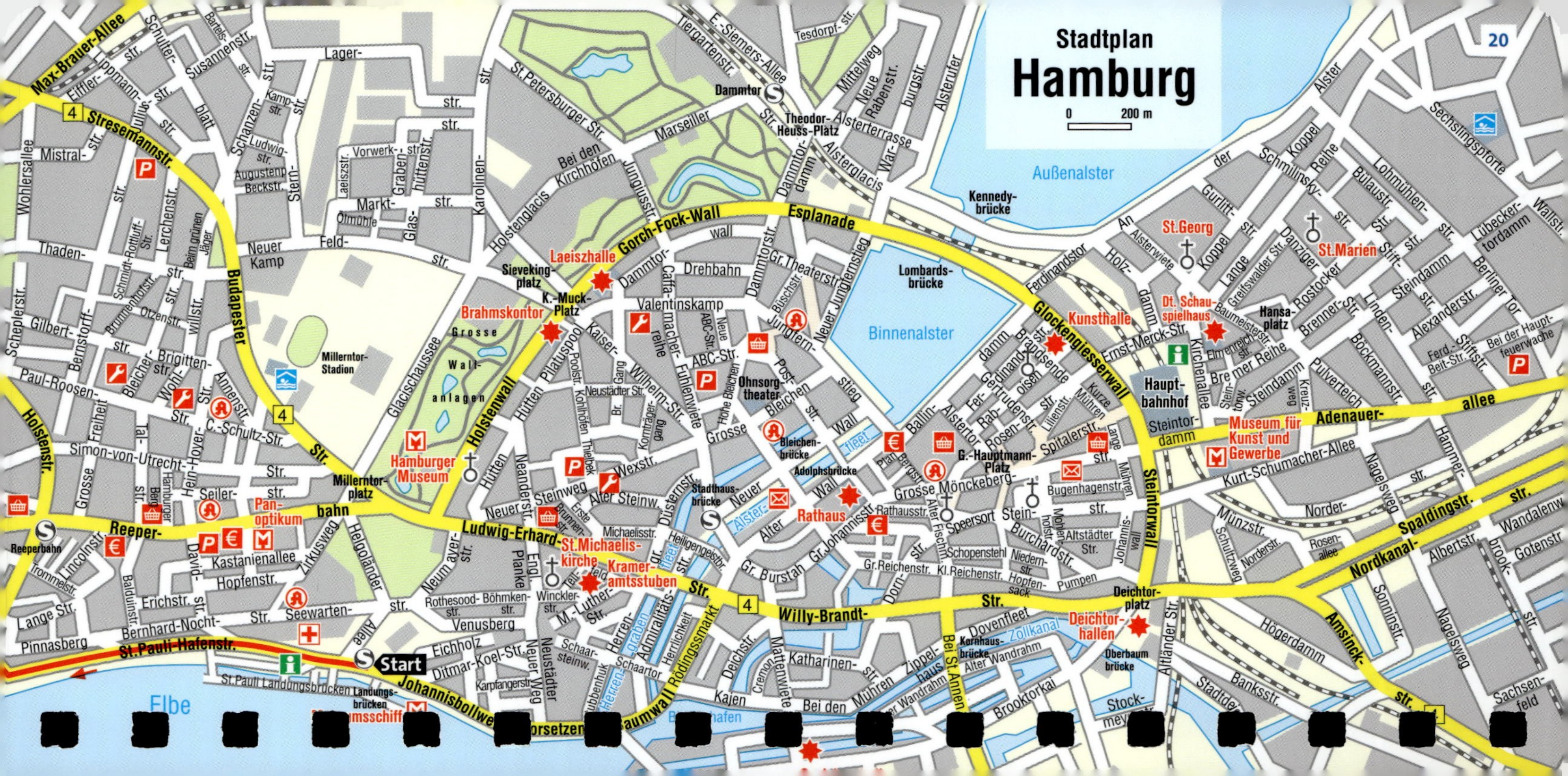

Stadtplan
Hamburg
0 200 m
Außenalster
Binnenalster
Elbe
Max-Brauer-Allee
Stresemannstr.
Holstenstr.
Budapester Str.
Reeperbahn
St. Pauli-Hafenstr.
Johannisbollwerk
Ludwig-Erhard-Str.
Willy-Brandt-Str.
Gorch-Fock-Wall
Esplanade
Glockengiesserwall
Steintorwall
Adenauerallee
Spaldingstr.
Nordkanalstr.
Amsinckstr.
Kurt-Schumacher-Allee
Holstenwall
Millerntor-Stadion
Millerntorplatz
Hamburger Museum
Panoptikum
St. Michaeliskirche
Krameramtsstuben
Brahmskontor
Laeiszhalle
Sievekingplatz
K.-Muck-Platz
Grosse Wallanlagen
Ohnsorg-theater
Rathaus
Adolphsbrücke
Bleichenbrücke
Stadthausbrücke
Lombardsbrücke
Kennedybrücke
Dammtor
Theodor-Heuss-Platz
Kunsthalle
Dt. Schauspielhaus
Hauptbahnhof
St. Georg
St. Marien
Hansaplatz
Museum für Kunst und Gewerbe
G.-Hauptmann-Platz
Deichtorplatz
Deichtorhallen
Oberbaumbrücke
Kornhausbrücke
Zollkanal
Reeperbahn
Start
St. Pauli Landungsbrücken
Landungsbrücken
Mönckebergstr.
Speersort
Jungfernstieg
Neuer Jungfernstieg
Ballindamm
Steintordamm
Steindamm
Lange Reihe
Koppel
Alsterglacis
Marseiller Str.
St. Petersburger Str.
Karolinenstr.
Glacischaussee
Kaiser-Wilhelm-Str.
Wexstr.
Neuer Steinweg
Alter Steinweg
Michaelisstr.
Hopfenstr.
Kastanienallee
Seewartenstr.
Bernhard-Nocht-Str.
Pinnasberg
Lange Str.
Venusberg
Ditmar-Koel-Str.
Baumwall
Kajen
Katharinenstr.
Bei den Mühren
Brooktorkai
Bei St. Annen
Högerdamm
Banksstr.
Sonninstr.
Sachsenfeld
Wandalenweg
Gotenstr.
Hammerbrookstr.
Lübeckertordamm
Berliner Tor
Sechslingspforte

Osdorf
Bahren-
feld
EIMSBÜTTEL
ALTONA
Altona-
Nord
Rotherbaum
Botan.
Garten
Gr. Flottbek
HH-
Bahrenfeld
Stadtplan S. 20
HH-
Othmarschen
HAMBURG
01
St. Pauli
Klein
Flottbek
Nienstedten
Barlach-
Haus
Othmarschen
Altona-
Altstadt
Neustadt
Jenisch-
park
Ottensen
02
Altonaer Mus.
Start
Altstadt
Teufelsbrück
Fischmarkt
Landungsbrücken
Oevelgönne
Neumühlen
EADS
MITTE
Hafen-City
Norderelbe
Etappe 01
Finkenwerder
Park-
hafen
Container-
Terminal
Petroleumhafen
Köhlfleet
Freihafen
Waltershof
Köhlbrand
Kohlenschiffhafen
Kuhwerder Hafen
Steinwerder Kanal
Reiherstieg
Steinwarder Hafen
SW-Hafen

Alter Elbtunnel

Der Hamburger Elbtunnel wurde am 7. September 1911 durch das Trillerpfeifensignal eines Verkehrspolizisten eröffnet. Die 448,5 m lange Verbindung von den Sankt-Pauli-Landungsbrücken unter der Norderelbe hindurch zur Hafeninsel Steinwerder war der erste Flusstunnel Kontinentaleuropas und der erste Fahrstuhltunnel der Welt.

Die Sohle dieses Alten Elbtunnels liegt 23,5 m unter dem Elbspiegel. Die beiden durch getrennte, je 6 m weite Röhren verlaufenden Fahrbahnen lassen sich durch vier Aufzüge und Treppenhäuser erreichen. 1913 benutzten monatlich 850.000 Arbeiter, 9.000 Fuhrwerke und 15.000 Radfahrer den Elbtunnel. Verkehrstechnisch ist die im historisierenden Stil des Wilhelminismus gehaltene repräsentative Anlage seit Eröffnung des zweiten Elbtunnels 1975 bedeutungslos, bildet jedoch weiterhin eine herausragende Sehenswürdigkeit.

Jahreszeit zum Bummeln an der Elbe ein. Hier legen Kreuzfahrtschiffe an, von 688 m langen Pontons, schwimmenden Brücken, starten Hafenrundfahrtschiffe sowie die Linienschiffe nach Blankenese, Övelgönne und Finkenwerder, auch der Katamaran nach Stade am linken Elbufer macht an den Landungsbrücken fest, bei denen sich zudem der Zugang zum sehenswerten **Alten**

Die Landungsbrücken am Hamburger Hafen, rechts der Zugang zum Alten Elbtunnel. (Bild: Janina Schalk)

Neuer Elbtunnel

1975 wurde im Rahmen des Ausbaus der Nord-Süd-Autobahn der zweite Elbtunnel eröffnet. Er ist mit 2.653 Meter Länge einer der längsten Unterwasser-Straßentunnel der Erde. Die drei zweispurigen Röhren verbinden den Stadtteil Othmarschen und das Hafengebiet Waltershof; an der tiefsten Stelle befinden sich die Autos 27 m unter dem Wasserspiegel der Elbe. 2002 wurde eine vierte Elbtunnelröhre in Betrieb genommen; dabei erfolgte gleichzeitig eine Verlängerung der vorhandenen drei Röhren, sodass die Tunnellänge nun 3.325 Meter beträgt.

Da viele Verkehrsteilnehmer im Neuen Elbtunnel von Ängsten befallen werden, Gas zu geben vergessen oder die Fliesen an den Wänden zu zählen beginnen, hat der Tunnel einen Stammplatz in den Staunachrichten, obwohl die vier Röhren mit 80 km/h zügig durchfahren werden könnten.

Elbtunnel befindet. Stundenlang sitzen hier Reisende und Einheimische, um dem bunten Treiben auf der Elbe zuzuschauen und sich die frische Brise um die Nase wehen zu lassen, Restaurants, Straßencafés und Fischbuden sorgen fürs leibliche Wohl. Am gegenüberliegendenn Ufer befinden sich der Containerhafen, beliebtes Fotomotiv und viel genutzte Filmkulisse, sowie das Theater des Hafens: Kleine knallgelbe Shuttlefähren bringen die Besucher des Musicals „König der Löwen" bis vors Theater. Östlich liegt das grüne Großsegelschiff Rickmer Rickmers, und an der Überseebrücke hat der weiß-rote Stückgutfrachter Cap San Diego seinen Dauerliegeplatz.

Von den Landungsbrücken folgt der Nordseeküsten-Radweg der Sankt-Pauli-Hafenstraße stromabwärts am Eingang des sehenswerten Alten Elbtunnels vorbei zum Fischmarkt in **Altona** **02**; der berühmte Sonntagsfischmarkt findet ab 5 Uhr morgens statt. Längs der Großen Elbstraße geht es weiter zum Altonaer Balkon, einer geländergesicherten Aussichtsplattform auf dem bewaldeten Elbsteilufer mit weitem Blick auf die Kulisse des Hamburger Hafens und der Köhlbrandbrücke sowie auf die Obstbaumfluren im Alten Land jenseits der Elbe. Die Grünanlagen am Altonaer Balkon sind ein viel besuchtes Freizeitgebiet (Boule, Picknick, Biergarten).

Wedel, Strandbad Elbe in Schulau.

Vom Altonaer Balkon führt der Radweg weiter zum **Museumshafen Oevelgönne** am Schiffsanleger Neumühle, danach wird der autofreie Radweg passagenweise recht schmal. Ein schöner Rastpunkt ist der **Teufelsbrücker Hafen** an der Mündung der durch ein Naturschutzgebiet herabfließenden Flottbek; an der Mündung errichtete der Legende zufolge ein Zimmermann unter Zuhilfenahme des Unaussprechlichen die namensgebende „Teufelsbrück". Am Jollenhafen Mühlenberg lohnt der Abstecher zum **Hirschpark**, von dem aus man dem Blankeneser Strandweg mit seinen vielen Restaurants und Cafés weiter folgen kann, ehe man wieder auf den Elbuferweg wechselt. Dieser führt zum **Jollenhafen Blankenese** 03, unterhalb des Bismarckturms entlang weiter am Falkensteiner Ufer (oben der Falkensteiner Wildpark) zum Naturschutzgebiet Wittenbergener Elbwiesen, dann am Rissener Ufer entlang zum **Tinsdaler Leuchtturm**.

WEDEL
04
E.-Barlach-Museum
Stadtplan S. 24
Freizeitpark Elbmarsch
Buddelschiff-museum
Schiffsbegrüßungsanlage Willkomm-Höft
SCHULAU
Rissen
Sülldorf
Iserbrook
Siedl. Osdorfer Born
431
Osdorf
Tinsdal
Baurs Berg
62
Puppenmuseum
Tafelberg
Bismarckstein
Blankenese
Süllberg
03
43
Hirschpark
Nienstedten
Flottbek
Unterelbe
Hahnöfer
Neßsand
Nebenelbe
Etappe 01
27
21
25

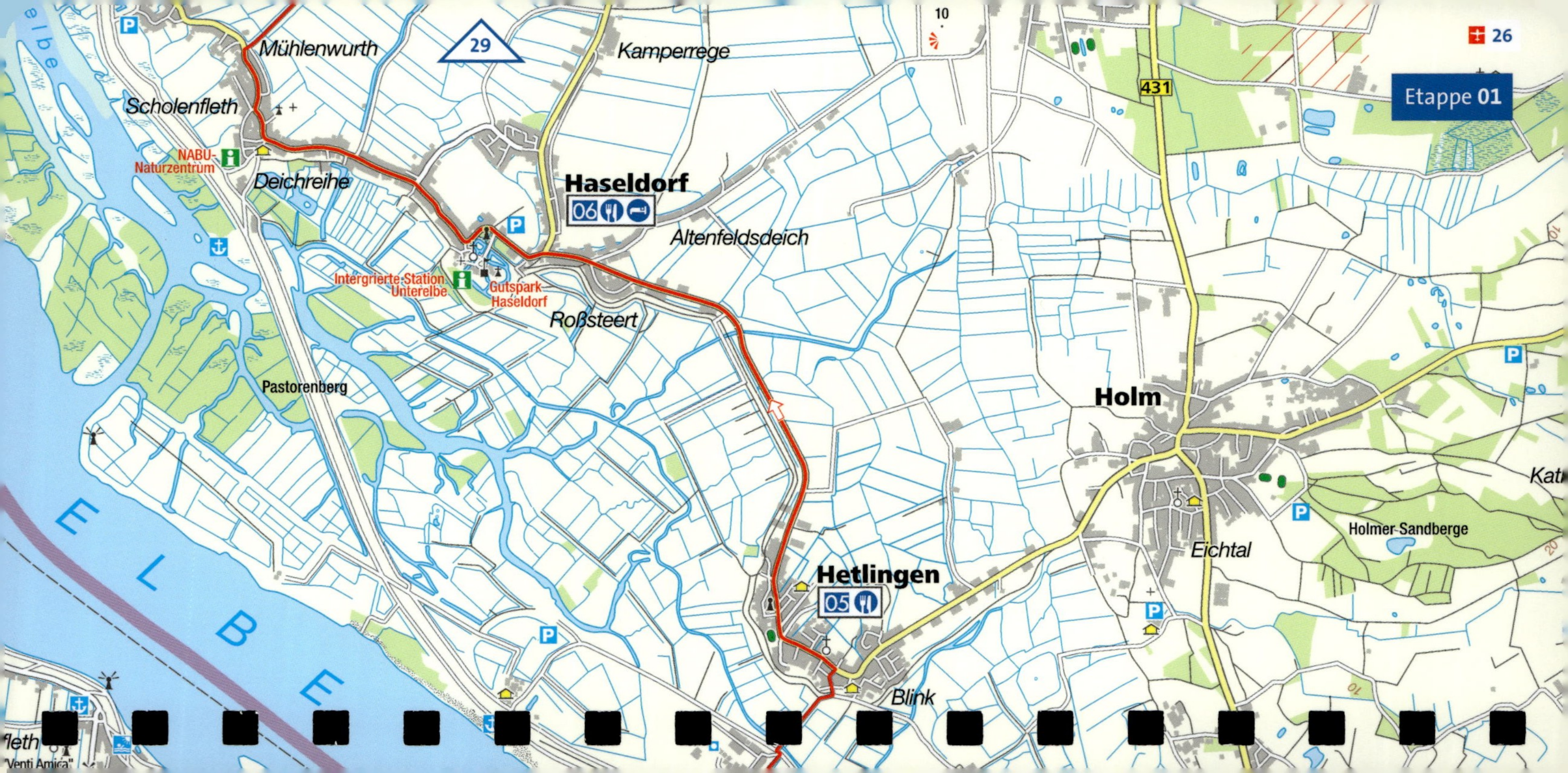
29
10
431
Mühlenwurth
Kamperrege
Scholenfleth
NABU-Naturzentrum
Deichreihe
Haseldorf
06
Altenfeldsdeich
Intergrierte Station Unterelbe
Gutspark Haseldorf
Roßsteert
Pastorenberg
Holm
Holmer Sandberge
Eichtal
Hetlingen
05
Blink
elbe
E L B E

Ästuare

Ästuare sind durch die Einwirkung der Gezeiten oft schlauch- oder trichterförmig erweiterte Mündungen großer Flüsse, in denen sich Süßwasser und Salzwasser vermischen und in denen sich tidebedingt die Fließrichtung ändert: Bei auflaufendem Wasser fließt die Elbe „flussaufwärts“, bei ablaufendem Wasser strömt sie wieder der Nordsee zu. Die größten Ästuare in Deutschland bilden Ems, Weser und Elbe.

Hier verlässt der Radweg vor dem steinkohlebefeuerten Heizkraftwerk Wedel das Ufer, wechselt rechts auf den Grenzweg, am Ende links Tinsdaer Weg und folgt dann links der Galgenbergstraße zur Schiffsbegrüßungsanlage Willkomm-Höft beim Restaurant „Schulauer Fährhaus“ am Schulauer Hafen in **Wedel** 04 in Schleswig-Holstein.

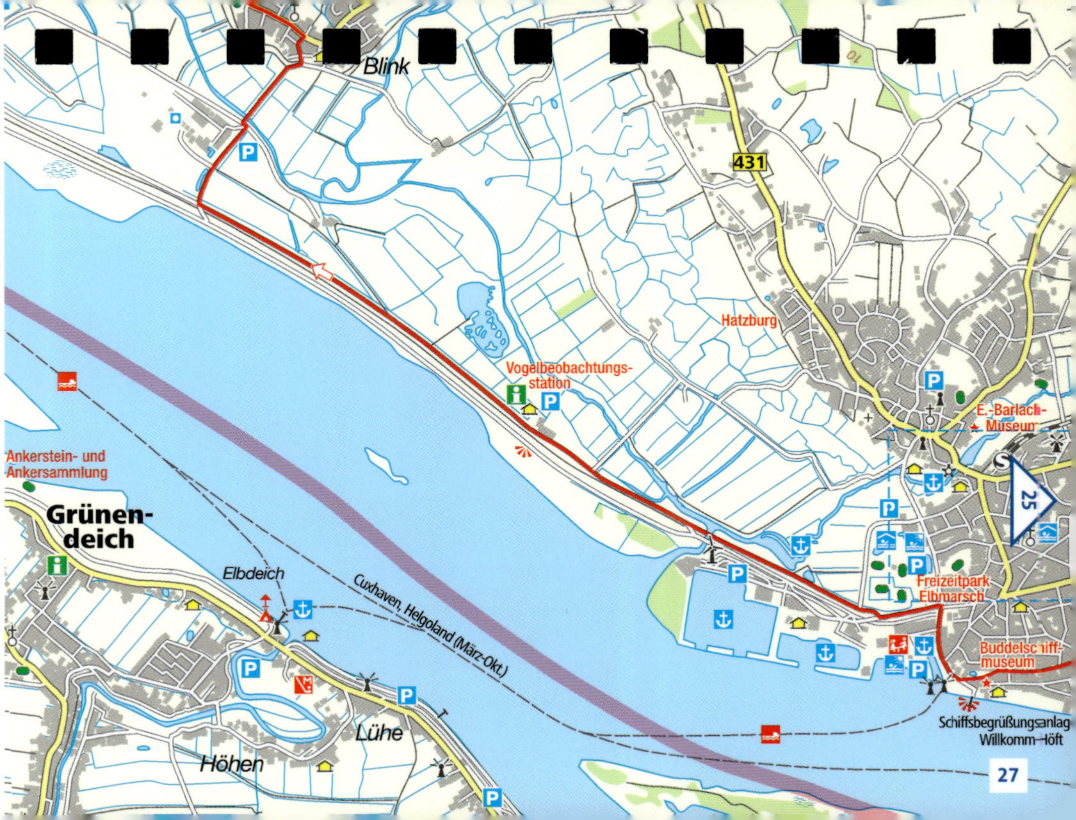

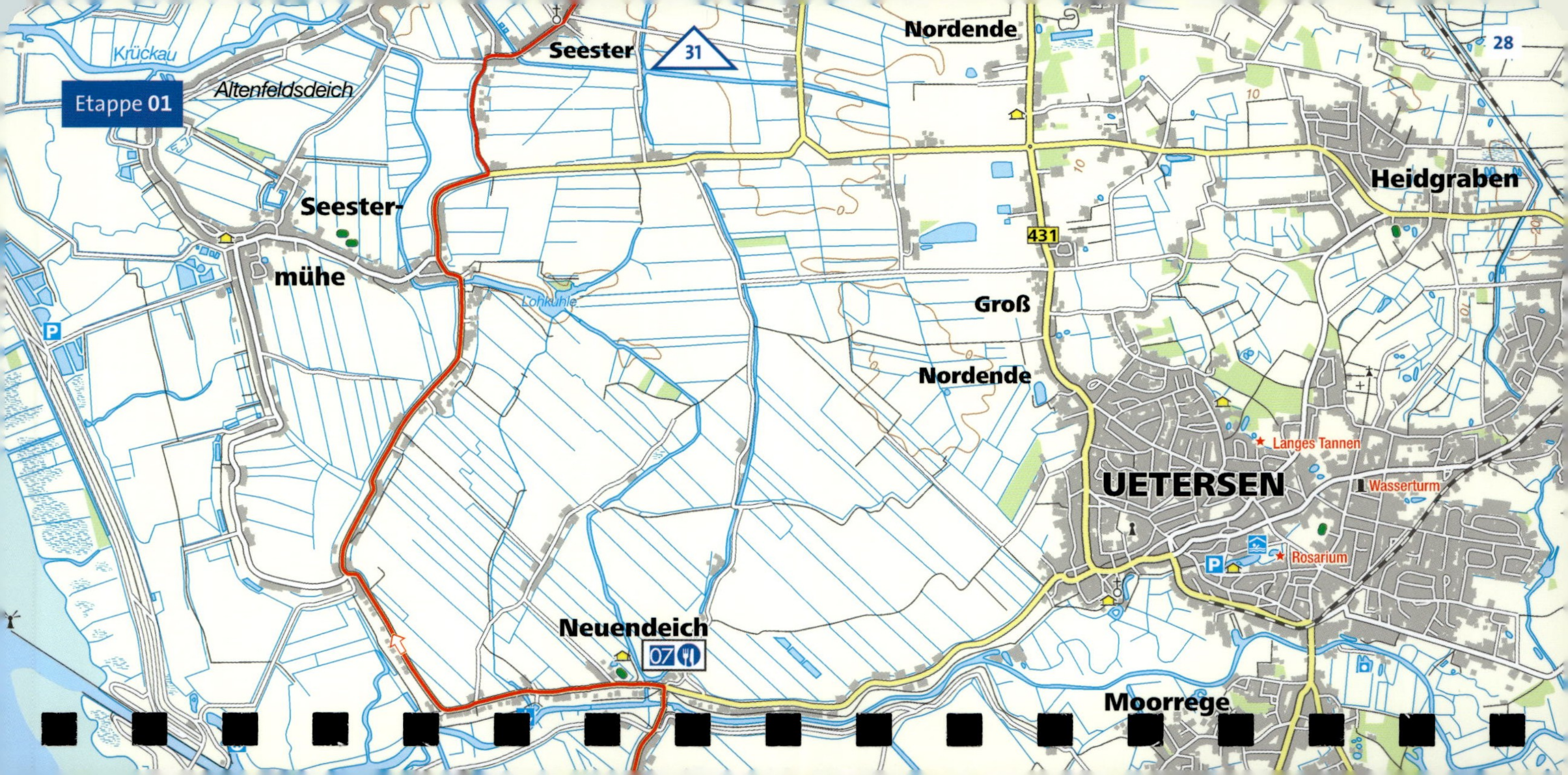
Etappe 01
Krückau
Altenfeldsdeich
Seester
31
Nordende
Seester-
mühe
Lohkuhle
Groß
Nordende
431
Heidgraben
UETERSEN
Langes Tannen
Wasserturm
Rosarium
Neuendeich
07
Moorrege
10
20
P

Wedel – Elmshorn / 36 km / 3:30 Std.

Der Radweg verlässt den Ort auf der Deichstraße und folgt dem grünen Deich in so ruhiger Fahrt mit Blick auf die Wedeler und dann die Haseldorfer Marsch über **Hetlingen** 05 und **Haseldorf** 06 elbabwärts, dass man nicht so richtig versteht, warum er den Deich urplötzlich verlässt, die Pinnau in **Neuendeich** 07 überquert und dann die fernab vom Wasser gelegene Industriestadt **Elmshorn** 08 ansteuert.

Elmshorn – Glückstadt / 25 km / 2:30 Std.

Von Nordseeküste keine Spur, dafür gibt es viel Gegenwind bei der Rückfahrt zum Deich, noch dazu benutzt der Nordseeküsten-Radweg hier die Hauptverbindungsstraße (Bundesstraße 431!) zwischen Elmshorn und Glückstadt. Im Ausflugsort **Kollmar** 09 ist wieder maritimes Flair angesagt. Ausflügler betrachten am Elbufer die

Strand, Hafen und Fährhaus in Kollmar.

vorbeifahrenden Schiffe, da die Fahrrinne nah am Ufer liegt und anders als in der Seestermüher Marsch und Teilen der Haseldorfer Marsch von keiner Elbinsel verdeckt wird, oben auf dem

Matjes: Heringsspezialität der Küstenregion

Früher ein Arme-Leute-Essen, hat sich der Matjes zu einer kulinarischen Spezialität der Küstenregion entwickelt. Puristen genießen ihn mit einem Zwiebelring und einem Glas Genever. Kopf und Mittelgräte werden entfernt, der Matjes am Schwanz hoch gehalten und von oben in den Mund geführt. Auch Matjesbrötchen, Matjessalate, Matjes mit grünen Bohnen und viele andere Kreationen haben ihre Liebhaber. Das Wort Matjes leitet sich von niederländisch „meisje", Mädchen, ab: ein „Maatjesharing" ist ein jungfräulicher „Mädchenhering". Nur junge, noch nicht geschlechtsreife Heringe werden zu Matjes eingelegt.

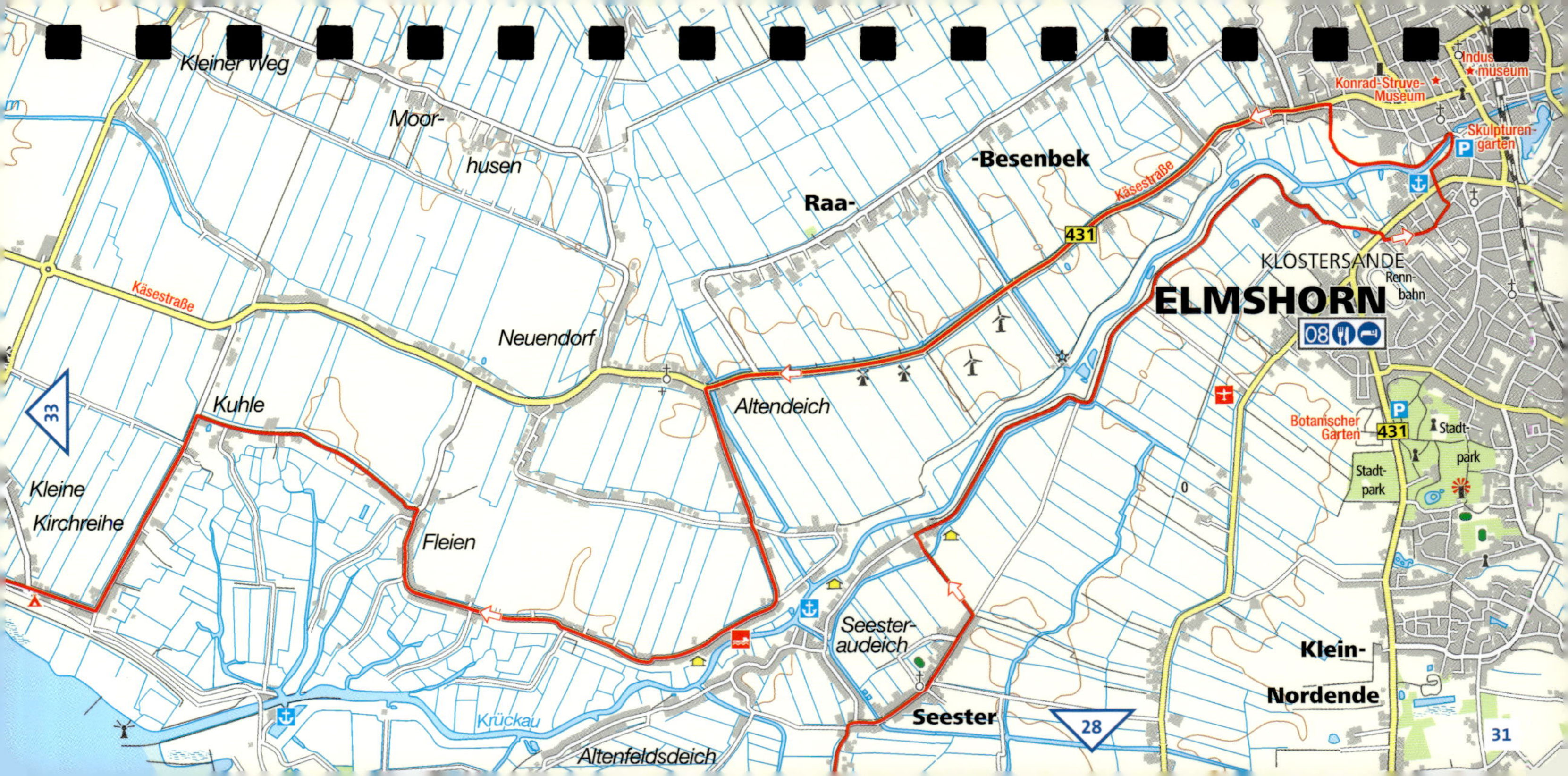

Kleiner Weg
Moor-
husen
Raa-
-Besenbek
Konrad-Struve-
Museum
Indus
museum
Skulpturen-
garten
Käsestraße
431
KLOSTERSANDE
Renn-
bahn
ELMSHORN
08
Käsestraße
Neuendorf
Altendeich
Kuhle
33
Kleine
Kirchreihe
Fleien
Botanischer
Garten
431
Stadt-
park
Stadt-
park
Seester-
audeich
Klein-
Nordende
Krückau
Seester
28
Altenfeldsdeich

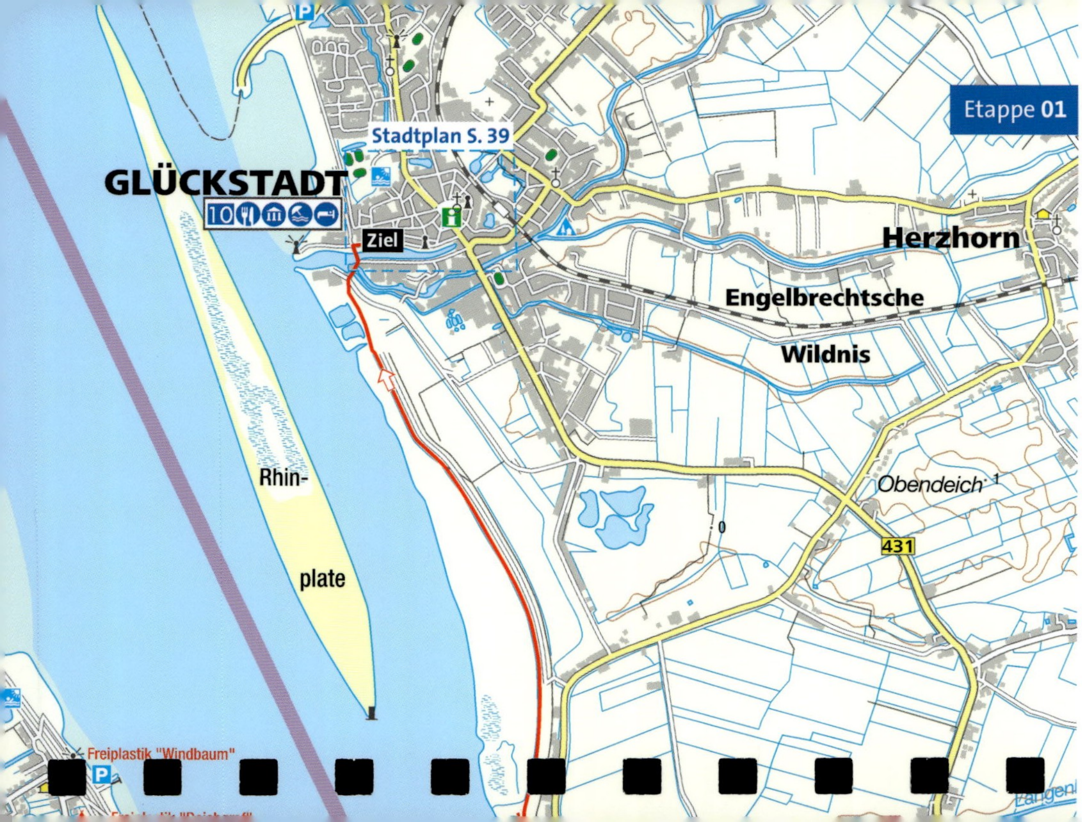

Deich lädt das Restaurant „Fährhaus" zum Entspannen ein. Die Badestelle Kollmar ist ein flacher Sandstrand neben dem Hafen und dem Elbdeichcamping. Vom kleinen Hafen Kollmar folgt der Nordseeküsten-Radweg dem Elbdeich flussabwärts in die nahe Hafenstadt **Glückstadt** 10 **Ziel**.

Der autofreie Radweg erreicht das Zentrum auf der ebenfalls autofreien Brücke zwischen Binnen- und Außenhafen an der Mündung des Rhin. Der Binnenhafen, der seine Funktion als Umschlagplatz schon seit langem verloren hat, wurde schrittweise umgestaltet und lädt mit seiner neuen Promenade zum Flanieren und Verweilen ein. An der Straße Am Hafen an der Nordseite des Binnenhafens reiht sich ein historisches Haus an das andere, der Straßenzug steht vollständig unter Denkmalschutz. Auch der attraktive Glückstädter Fischmarkt am Binnenhafen bietet sich als idealer Sonntagsausflug für die ganze Familie an (jeden 2. Sonntag im Monat).

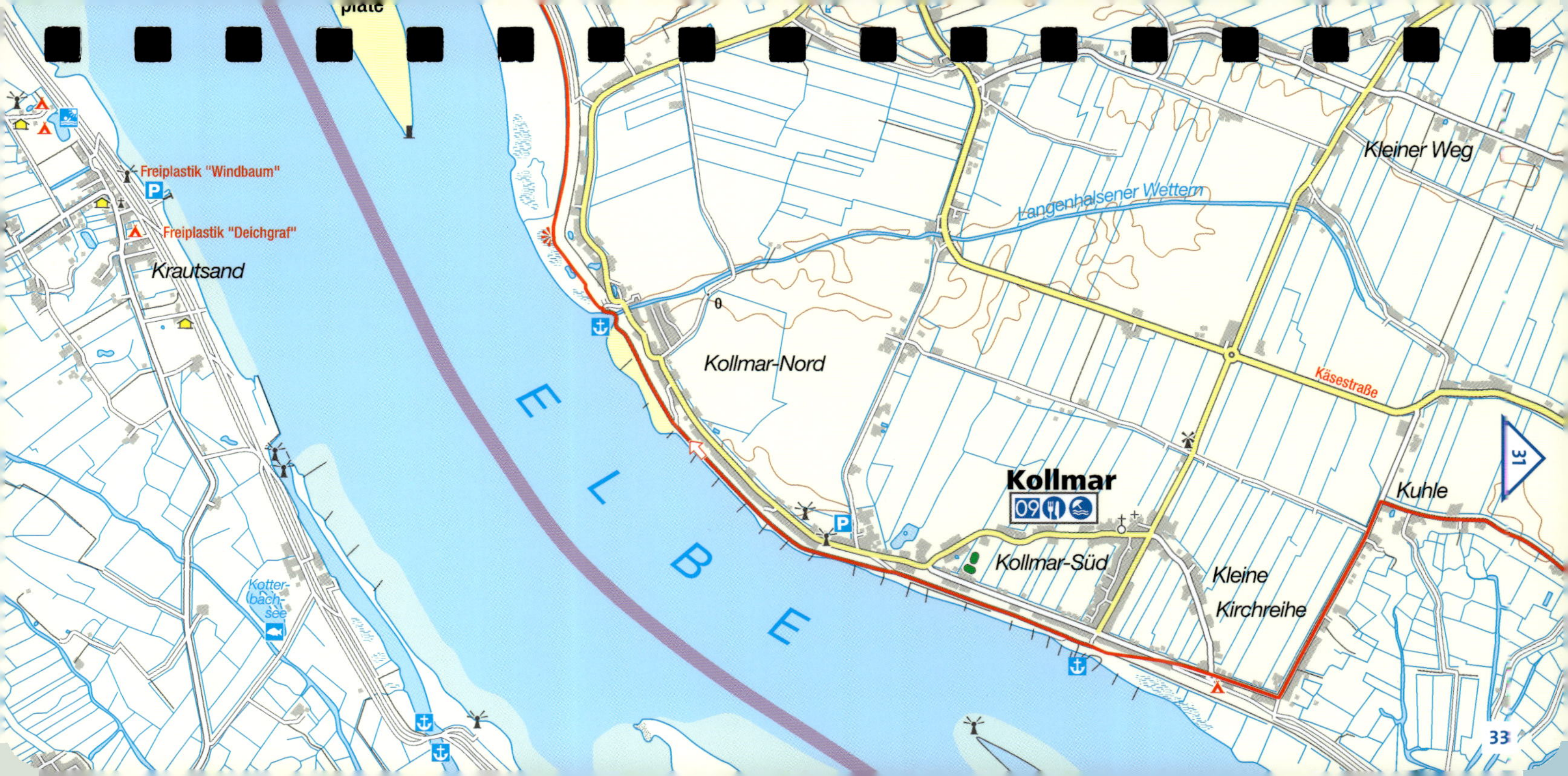
plate
Freiplastik "Windbaum"
Freiplastik "Deichgraf"
Krautsand
Kotter-bach-see
E L B E
Kollmar-Nord
Langenhalsener Wettern
Kleiner Weg
Käsestraße
Kollmar
09
Kollmar-Süd
Kleine Kirchreihe
Kuhle
31

AUSFLUGSZIELE / SEHENSWÜRDIGKEITEN & EINKEHRTIPPS

Hamburg 01

Die Freie und Hansestadt Hamburg liegt an der Mündung der Alster in die Elbe. Der Staufer-Kaiser Friedrich Barbarossa stellte der Hamburger Neustadt am westlichen Alsterufer am 7. Mai 1189 einen Freiheitsbrief aus und gewährte ihr Zollfreiheit auf der Elbe bis an die Nordsee. Dieses Dokument gilt als Geburtsurkunde der Freien und Hansestadt, der Ausstellungstag wird als „Überseetag" und Geburtstag des Hamburger Hafens gefeiert.

Die Kirche der 811 gegründeten fränkischen Hammaburg wurde 831 zum Bischofssitz erhoben. Nach der Zerstörung durch Wikinger 845 wurde der Bischofssitz nach Bremen verlegt. Die Gründung der „Neustadt" nach lübischem Recht 1188 durch Graf Adolf III. von Holstein führte auf dem Gebiet von Hamburg zur Ausbildung zweier Städte, der ehemals bischöflichen Alt- und der gräflichen Neustadt. Bereits um 1200 wurden zum Zeichen der bürgerlichen Selbstverwaltung die beiden ersten Rathäuser errichtet, 1216 wurden Neu- und Altstadt vereinigt. Am Ende des Mittelalters gehörte Hamburg mit 12.000 Einwohnern zu den wich-

Hamburg, in der Nähe des Elbphilharmonie Pavillons. (Foto: Reiner Brockmann)

tigsten Zentren der hansischen Gemeinschaft. 1510 wurde die bereits unter Kaiser Siegmund als reichsunmittelbar bezeichnete Hansestadt als freie Reichsstadt bestätigt.

Hamburger Michel Die Barockkirche Sankt Michaelis in der Hamburger Neustadt wurde am 14. März 1661 eingeweiht. Das lutherische Gotteshaus, auf dessen Umgang am 132 m hohen Turm noch heute der Turmbläser täglich Choräle in alle Himmelsrichtungen trompetet, ist mit 2.500 Plätzen die größte Kirche und ein Wahrzeichen der Hansestadt, nach Zerstörungen wurde sie stets in denselben Formen wieder aufgebaut. Der namensgebende Erzengel ist über dem Hauptportal dargestellt, dort hält er den höllischen Drachen in Schach. Der auch als Seezeichen fungierende Turm wurde 1669 vollendet und zählt zu den Hauptattraktionen der Hansestadt: Mehr als 1 Mio. Menschen bestaunen alljährlich in 82 m Höhe das Panorama vom Glockenturm, der zudem die größte Turmuhr Deutschlands hat. Unvergesslich ist auch der nächtliche Blick vom Michel über das Lichtermeer der Hafenstadt an der Elbe. Die berühmtesten Kantoren waren Georg Philipp Telemann († 1767) und nach dessen Tod Carl Philipp Emanuel Bach, der seine letzte Ruhestätte in der Krypta gefunden hat († 1788). Die Michel-Krypta wurde 2009 mit einem neuen Lichtdesign wieder eröffnet und bildet u. a. den Rahmen für klassische Konzerte.

Speicherstadt An den Fleeten (Kanälen) des Hamburger Freihafens liegt die 1884–1910 errichtete Speicherstadt mit Lager- und Kontorhäuser. Die roten Backsteinbauten wurden in den 1990er Jahren aufwändig saniert, seither ist die Speicherstadt ein touristischer Glanzpunkt. Die Speicherstadt ist einer der größten zusammenhängenden Lagerhauskomplexe der Welt. Giebel und Türmchen von Bauten der Gründerzeit und des der Backsteingotik nachempfundenen Historismus spiegeln sich in den Fleeten. Viele Speicherhäuser beherbergen Restaurants, Büros und Vergnügungsstätten, die meisten fungieren wie im 19. Jh. als Lagerhäuser: Hinter den dicken Mauern lagern hochwertige Güter wie Kaffee, Tee, Kakao, Gewürze, Tabak, Computer und das größte Orientteppichlager der Welt. Die Speicherhäuser wurden so errichtet, dass sich ohne zusätzliche Belüftung immer eine konstant kühle Temperatur im Inneren der Gebäude hält.

Zollmuseum Im alten Zollamt „Kornhausbrücke" in der Speicherstadt befindet sich das Deutsche Zollmuseum Hamburg. Urkunden, Schmuggelverstecke, Uniformen, das komplette Ruderhaus eines Zollkreuzers oder eine alte Zollquittung aus dem Jahr 43 n. Chr.: Das Zollmuseum dokumentiert Zollgeschichte von der Antike bis heute.

Hagenbecks Tierpark Der Tierhändler Carl Hagenbeck eröffnete 1907 in Stellingen bei Hamburg den ersten Tierfreigehege-Park, in dem sich Tiere aller Zonen in einer ihrer Heimat angepassten Umgebung ohne Gitter bewegen konnten. Hagenbecks revolutionäres Konzept von der artgerechten Präsentation exotischer Tiere wurde bald weltweit in zoologischen Gärten nachgeahmt. In künstlichen Gebirgen kletterten Gämsen, Löwen u. a. Raubtiere streiften durch unvergitterte Schluchten, nur durch einen Graben von den Besuchern getrennt. Damit war – wie die zeitgenössische Presse feststellte – „der zoologische Garten der Zukunft" entstanden. Um seinen Traum vom Tierfreigehege zu verwirklichen, hatte Hagenbeck ein Team von Künstlern, Landschaftsgärtnern, Architekten und Ingenieuren beschäftigt. Nach der Eröffnung des Tierparks stand der Erfinder der „zahmen Dressur" (Dressur ohne Zwangsmittel) auf der Höhe seines Ruhms. Er zählte zu den führenden Zoologen seiner Zeit und wurde von naturkundlichen und zoologischen Gesellschaften Europas und der USA ausgezeichnet sowie von Kaisern, Königen und Staatsoberhäuptern geehrt. Heute leben in Hagenbecks Tierpark 2.500 exotische Tiere von Ara bis Zebra in den gepflegten Parkanlagen.

Altona 02

Altona ist der westlichste Bezirk der Freien und Hansestadt Hamburg. Er grenzt im Osten an den Bezirk Hamburg-Mitte, im Norden und Westen an das Land Schleswig-Holstein und in der Elbmitte an das Land Niedersachsen, im Westen des historischen Stadtkerns liegen die Elbvororte Blankenese, Nienstedten, Othmarschen und Rissen. 1938 vereinigten die Nationalsozialisten die Stadt Altona mit Hamburg und verschoben die Grenze: Seither liegt die am heutigen Beatles-Platz beginnende Große Freiheit, eine Seitenstraße der Reeperbahn, im benachbarten Sankt Pauli.
Zu Altonas Hauptattraktionen zählen der Fischmarkt und die restaurierte Fischauktionshalle. Gern besucht wird der Elbabschnitt zwischen Fischmarkt und Övelgönne für alle Arten von Aktivitäten.

Hamburger Hafen mit Landungsbrücken, dem Michel und der Rickmer Rickmers. (Foto: Reiner Brockmann)

Blankenese 03

Blankenese ist ein Elbvorort im Westen Hamburgs im Bezirk Altona. Er liegt nördlich der Unterelbe auf einem steilen Geestrücken, der sich von Meeresniveau auf bis zu 91,6 m (Baurs Berg) aufschwingt und hervorragende Ausblicke auf das Mündungsästuar der Elbe sowie auf die obstbaumreichen Marschen des Alten Landes am Südufer gewährt. Die bekannteste Erhebung über dem Steilufer ist der Süllberg (74,7 m), in dessen Hang eine Ausflugsgaststätte und auf dessen Kuppe ein Hotel-Restaurant stehen. Aussicht und Südlage in der parkartig wirkenden Geest haben dazu geführt, dass in Blankenese ansehnliche Villen stehen, wegen der Steilheit des Geländes erschließt ein geradezu labyrinthartiges Gewirr von Treppen und Stufenanlagen das schmucke Dorf rund um den Süllberg: Wer hier wohnt, bleibt fit. Bei der Fahrt flussabwärts sind von Ost nach West folgende Punkte interessant:

Baurs Park Der Baurs Park im östlichen Elbhang von Blankenese ist nach dem Altonaer Kaufmann Georg Friedrich Baur benannt, der hier elf Grundstücke erwarb und das Gelände 1817–32 durch den französische Landschaftsgärtner Joseph Ramée zum romantischen Landschaftspark im englischen Stil mit Tempeln, Waldhütten, verschlungenen Wegen und einem chinesischen Pagodenturm umgestalten ließ. Auf dem Kanonenberg im Park konnten die einlaufenden Schiffe der baur'schen Flotte mit Böllerschüssen begrüßt werden, heute reckt sich auf dem Kanonenberg das rotweiße Oberfeuer Blankenese, ein 40 m hoher Leuchtturm, das zugehörige Unterfeuer steht 1,4 km am Elbufer. Obwohl sich der Park in Privatbesitz befand, war er bereits Mitte des 19. Jahrhunderts beschränkt öffentlich zugänglich. 1921 verkaufte die Familie den Park, 1939 machten ihn die Nationalsozialisten für „Volksgenossen" frei zugänglich.

Das **Hotel-Restaurant „Baurspark"** lädt An der Elbchaussee 573 zur Einkehr ein. Zu Füßen von Baurs Park befinden sich der Yachthafen und die Bootsliegewiese des Blankeneser Segel-Clubs.

Waseberg: Der Waseberg ist mit 87 Meter die dritthöchste Erhebung der Hansestadt und erhebt sich in etwa oberhalb des Unterfeuers Blankenese. Der Anstieg vom Elbufer aus ist mit durchschnittlich über 10 % Steigung einer der steilsten in Hamburg, die kleinen Busse der Linie 48, die auf den Waseberg fahren, werden „Bergziegen" genannt. International bekannt ist der Waseberg bei der Rennsport-Elite, die ihn alljährlich seit 1997 im Rahmen eines der wichtigsten Rennen des Jahres dreimal überfährt, wobei während der Anstiege legendäre Attacken stattfinden; dieses Pro-Tour-Rennen heißt derzeit Vattenfall Cyclassics.

Wedel 04

Wedel bietet zahlreiche touristische Anziehungspunkte, wie die Schiffsbegrüßungsanlage Willkomm-Höft, den Hamburger Yachthafen, Norddeutschlands größten Yachthafen, der derzeit 1.950 Liegeplätze umfasst und im Sommer einer der touristischen Dreh- und Angelpunkte an Wedels Ufern ist, den Roland (Wahrzeichen Wedels) und die Wedeler Marsch, ein Naturschutz- und Feuchtgebiet. Die Stadt wird in ostwestlicher Richtung von der Wedeler Au durchquert, die teilweise zu einem Mühlenteich aufgestaut ist.

Willkomm-Höft: Die Schiffsbegrüßungsanlage Willkomm-Höft am Schulauer Fährhaus in Wedel wurde 1952 in Betrieb genommen zur Freude der Seeleute und zur Verständigung der Völker. Schiffe, die den Hamburger Hafen anfahren oder verlassen, werden hier begrüßt oder verabschiedet, indem die Hamburger Flagge am 40 m hohen Mast automatisch gedippt (gesenkt) und das internationale Flaggensignal für Gute Reise (Buchstaben U und W) gehisst wird. Bei Schiffen über 1.000 Bruttoraumzahl, die die deutschen Gewässer verlassen, wird zwischen 8 Uhr und Sonnenuntergang außerdem die Nationalhymne des Heimatlandes gespielt von einem Computer, auf dem über 150 Nationalhymnen mit fast allen Sprachen der Welt gespeichert sind.

Fährverkehr: Vom Frühjahr bis zum Herbst ist Wedel Haltepunkt einer Expressfähre von und nach Helgoland, die am Willkomm-Höft anlegt. Während der Sommersaison bestehen Verbindungen zu den Hamburger Sankt-Pauli-Landungsbrücken sowie nach Stadersand.
Lühe-Schulau-Fähre: Die Lühe-Schulau-Fähre verbindet

Glückstadt, Binnenhafen an der Rhinmündung.

als Personen- und Fahrradfähre den Anleger Lühe in der Gemeinde Grünendeich am niedersächsischen Südufer der Elbe mit dem Anleger am Willkomm-Höft am Schulauer Hafen in Wedel am schleswig-holsteinischen Nordufer. Die Fähre wird von vielen Nordseeküsten-Radweg-Fahrern genutzt, die die Großstadt Hamburg scheuen.

Elmshorn 08

Elmshorn ist eine industriell geprägte Stadt an der Krückau mit wichtigem Eisenbahnknotenpunkt an den Strecken Hamburg–Kiel und Hamburg–Sylt. Bekanntester Industriebetrieb sind die Köllnwerke, die Haferflocken und Müsli herstellen, stadtbildprägend ist das Hochhaus der Teppichwerke Kibek, der zentrale Platz der Stadt ist der Karl-Marx-Platz, der 2005 mit den Stimmen von Konterrevolutionären im Stadtrat nach 60 Jahren wieder in „Buttermarkt" umbenannt wurde. Aus Elmshorn stammen international bekannte Athleten wie die Goldmedaillen-Reiter Fritz Thiedemann und Herbert Blöcker sowie das Tennis-As Michael Stich. Der Elmshorner Maler und Schriftsteller Wilhelm Petersen kreierte den Igel Mecki, den Namensgeber der Meckifrisur.

Glückstadt 10

Die Matjes- und Heringslogger-Stadt Glückstadt liegt in der Kremper Marsch an der Mündung des Rhin in die Unterelbe. Der strahlenförmige historische Stadtkern ist ein Musterbeispiel für eine auf dem Reißbrett entworfene Fürstenstadt des Absolutismus. Den Mittelpunkt bildet der Marktplatz mit dem Rathaus und der Kirche.

Glückstadt wurde 1617 von König Christian IV. von Dänemark und Norwegen und Herzog von Schleswig und Holstein als Gegenpol zu Hamburg gegründet. Der Name Glückstadt und die unbekleidete Glücksgöttin Fortuna im Wappen standen sinnbildlich für diesen Plan: „Dat schall glücken und dat mutt glücken, und denn schall se ok Glückstadt heten!", meinte Christian

IV., der neue Einwohner durch das Versprechen der Religionsfreiheit zu gewinnen versuchte und den ersten Bewohnern kostenlos Baugrundstücke zur Verfügung stellte und Steuerfreiheiten gewährte. Gegen die wirtschaftliche Übermacht von Altona und Hamburg konnte sich Glückstadt jedoch nicht durchsetzen.

Elbfähre: Die Elbfähre Glückstadt–Wischhafen verbindet die schleswig-holsteinischen Elbmarschen mit dem niedersächsischen Wischhafen in Nordkehdingen.

Tourismusinformation siehe ab S. 144
Übernachtungsverzeichnis siehe ab S. 146

Glückstadt, Elbdeich.

Etappe 02 Glückstadt – Brunsbüttel – Büsum

Durch Dithmarschen zur Meldorfer Bucht

88 km	8:45 Std.	16 hm	15 hm

GPS-Koordinaten / Start

UTM Zone 32 — x: 527.350 m, y: 5.959.750 m

Startort: Glückstadt, 1 m

Start: Glückstadt Binnenhafen an der Mündung des Rhin am Rand der historischen Altstadt, Straßenname: Am Hafen. Der Bahnhof Glückstadt ist 3 Fahrradminuten entfernt.

Ziel: Büsum, 2 m

Charakter: Leichte Fahrt auf meist asphaltierten, teils geschotterten, teils naturbelassenen Wegen.

Verkehr: Elbabwärts meist autofreie Deichverteidigungswege, im Binnenland Hofzufahrten und Nebenstraßen, an der Nordsee wieder autofreier Deichverteidigungsweg.

Tipp: Büsum ist Endbahnhof der Bahnstrecke, die in Heide von der Bahnlinie Hamburg – Westerland abzweigt, sodass die Strecke auch als Tagestour mit Rückkehr nach Glückstadt per Bahn problemlos möglich ist.

Ausflugsziele / Sehenswürdigkeiten & Einkehrtipps siehe S. 62–69

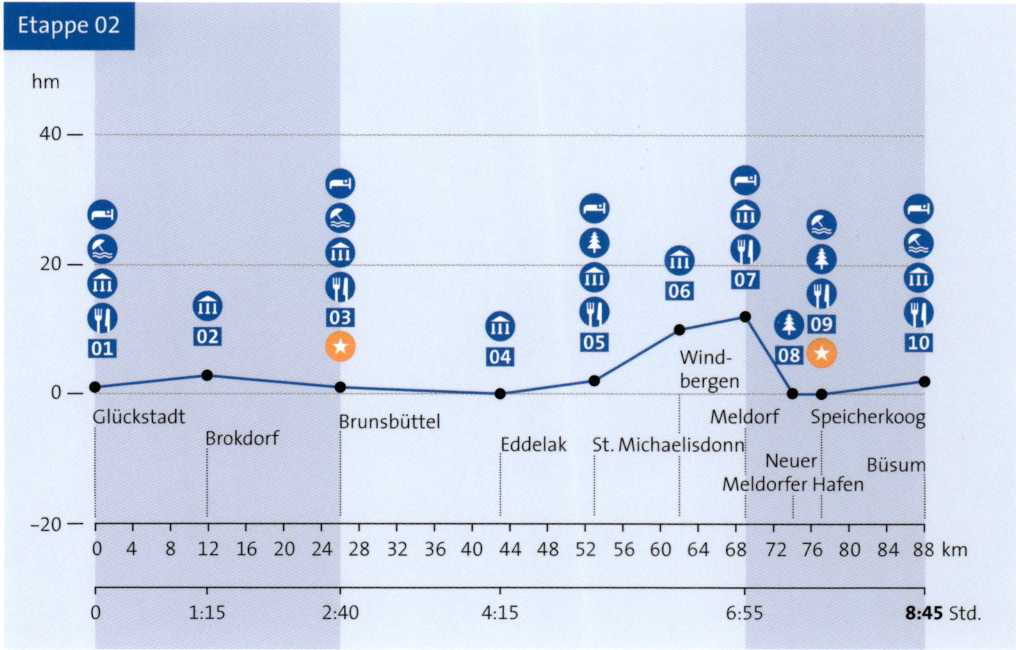

Von Glückstadt geben die Elbdeiche und ufernahe Straßen der Wilstermarsch die Route nach Brunsbüttel am Eingang des Nord-Ostsee-Kanals vor. Dort schwingt der Radweg landeinwärts durch das Marschland und über die Geest von Sankt Michaelisdonn in die historische Dithmarschen-Hauptstadt Meldorf. An der Meldorfer Bucht am Speicherkoog erreicht der Radweg wieder die Küste und zugleich das bedeutendste Vogelbeobachtungsgebiet, Wassersportzentrum und neben dem Zielort Büsum Seebadeparadies Dithmarschens.

Glückstadt – Brunsbüttel / 26 km / 2:40 Std.

Start Auf der Nordseite des Binnenhafens am Rand der historischen Altstadt von **Glückstadt** **01** folgt der Nordseeküsten-Radweg der Straße Am Hafen kurz Richtung Elbe und wechselt dann rechts vor den begrünten Elbdeich. Der autofreie Weg im Grünen gibt prinzi-

piell die Route bis Brunsbüttel vor; an mehreren Deichübergängen besteht die Möglichkeit zwischen den Wegen binnen- und außendeichs zu wechseln, außendeichs steht das rotweiße Unterfeuer Glückstadt. (Die Wege außendeichs haben keine Beschilderung.)

Der erste Deichdurchbruch befindet sich nach Passieren des Unterfeuers an der Zufahrt zur

Glückstadt, Außenhafen an der Mündung des Rhin.

Elbfähre Glückstadt–Wischhaven, wenig später wechselt der Radweg gemeinsam mit der Bundesstraße 431 auf dem Störsperrwerk von der Krempermarsch in die Wilstermarsch nahe des Kirchdorfs **Wewelsfleth**. Das Störsperrwerk an der Mündung des größten schleswig-holsteinischen Elbnebenflusses wurde 1971–75 in Folge der Sturmflut von 1962 zum Schutz vor ähnlichen Sturmflutkatastrophen gebaut. Dazu wurde ein neuer Mündungslauf nördlich des alten gegraben. Der alte Mündungslauf wird heute als Hafen genutzt. Direkt hinter dem Sperrwerk wechselt der Radweg wieder neben den grünen Elbdeich und folgt ihm im Grünen am Kernkraftwerk vorbei in das Kirchdorf **Brokdorf** 02. Ab der Hollerwettern, des Wilstermarsch-Entwässerungsgrabens zwischen den Gemeinden Wewelsfleth und Brokdorf, häufen sich die Leuchttürme, keiner kann zwar erstiegen werden, aber das Prinzip von Richtfeuerlinien (das Unter- und das höhere Oberfeuer müssen für den richtigen Kurs genau übereinander ausgerichtet werden) lässt sich hier gut nachvollziehen. Der erste Leuchtturm ist das **Unterfeuer Hollerwettern**, er bildet zusammen mit dem **Oberfeuer Brokdorf** die Richtfeuerlinie Hollerwettern–Brokdorf für stromabwärts fahrende Schiffe (nur wenn man auf dem Wasser ist, kann man sich nach Unter- und Oberfeuer passgenau „richten", auf dem Fahrrad kann man es nur nachvollziehen). Das Unterfeuer Hollerwettern ist ein roter Turm mit weißem Band und doppeltem Umgang am Elbufer; das ebenso aussehende Oberfeuer ist auf dem Gelände des Kernkraftwerks zu sehen. Neben dem Deich steht der alte **Leuchtturm Hollerwettern**; er war von 1911–1982 in Betrieb. Der viereckige Turm mit runder weißer Laterne und spitzer weißer Kuppel ist 18 m hoch. Die Leuchtfeuereinrichtung wurde entfernt. An den Turm ist ein Wohnhaus angebaut, Turm und Haus befinden sich in Privatbesitz.

Nord-Ostsee-Kanal

Der 1895 eröffnete Nord-Ostsee-Kanal verbindet auf einer Länge von 98,7 km Nord- und Ostsee und ist die meistbefahrene künstliche Seeschifffahrtsstraße der Erde. Von der Elbhafenstadt Brunsbüttel im südlichen Dithmarschen fahren die Ozeanriesen und Kreuzfahrtschiffe in sechs bis acht Stunden zur Kieler Förde, ohne den Kanal müssten sie die 250 Seemeilen längere Route um Kap Skagen im Norden Dänemarks nehmen. Die imposantesten Bauwerke des Kanals sind die Hochbrücken und Schleusen an den Enden.
Kaiser Wilhelm II. eröffnete am 21. Juni 1895 in Kiel den Nord-Ostsee-Kanal unter dem Namen „Kaiser-Wilhelm-Kanal"; im internationalen Sprachgebrauch „Kiel Canal" genannt. Die Planer hatten 156 Millionen Goldmark für den Bau veranschlagt, dieser Etat wurde in den acht Jahren Bauzeit nicht überschritten. Der Kanal befand sich im Eigentum des Deutschen Reiches und war die erste Reichswasserstraße.
Anlässlich der Eröffnung drehte der britische Filmpionier Brit Acres den Dokumentarfilm „Opening of the Kiel Canal" (1895). Der einminütige Schwarzweiß-Stummfilm ist einer der ersten Filme aus Deutschland und einer der ältesten britischen Filme. Hauptdarsteller sind Kaiser Wilhelm II. und Kaiserin Auguste Victoria sowie ein unbekannter Junge, der in der Nähe des Geschehens spielt. Die rasante technische Entwicklung im Kaiserreich machte bereits 1907–14 einen ersten Ausbau erforderlich. Der Kanal wurde auf 102 m verbreitert und auf 11 m vertieft. Außerdem wurden sowohl in Kiel als auch in Brunsbüttel je zwei neue Schleusen gebaut. Diese sind mit 310 m Länge und 42 m Breite deutlich größer als die alten Schleusen mit 125 m Länge und 22 m Breite. Der Begriff Alte Schleusen bezeichnet die Schleusen von 1895, der Begriff Neue Schleusen jene von 1914. Die 2012–17 errichtete Schleuse in Brunsbüttel heißt derzeit „fünfte Schleuse".

AKW Brokdorf an der Elbe.

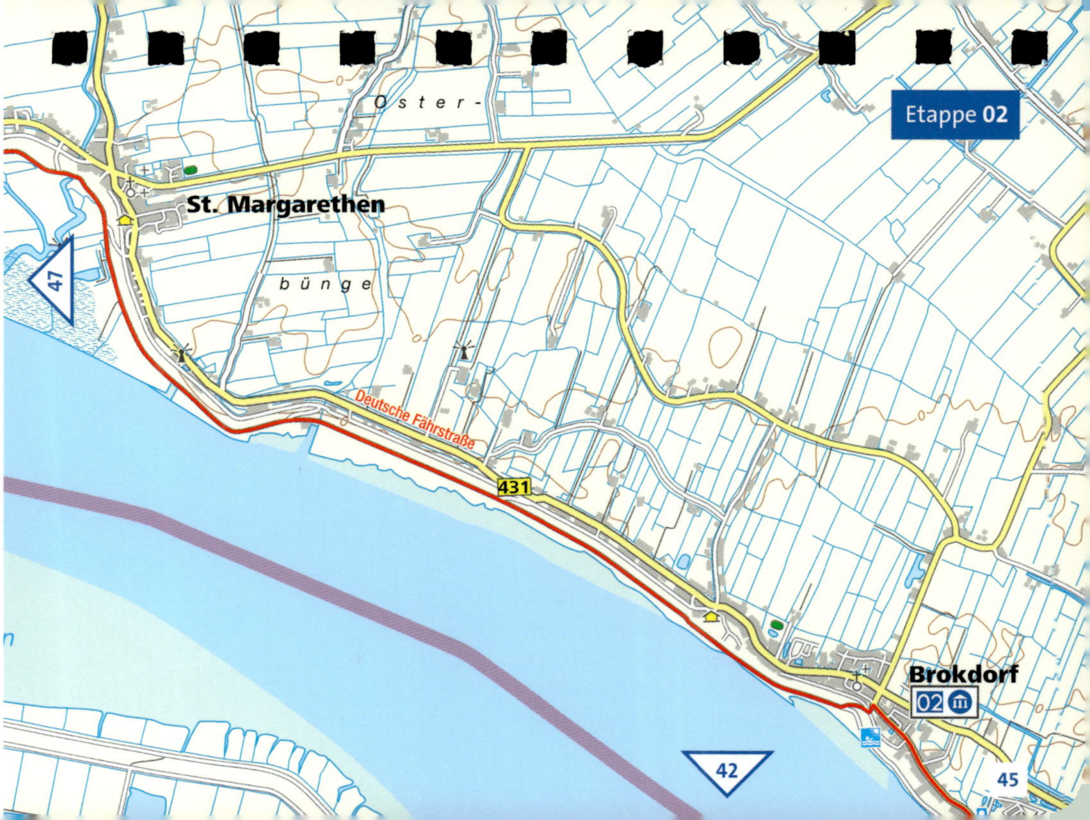

Steht man am Schöpfwerk an der Mündung der Hollerwettern auf dem Deich, sieht man landeinwärts das **Oberfeuer Osterende**, einen schwarzweiß gestreiften Stahlturm mit weißem Band, kegelförmigem Kopf und verdecktem Umgang. Die Richtfeuerlinie Osterende markiert das Fahrwasser für die flussaufwärts fahrenden Schiffe. Das zugehörige Unterfeuer Osterende, ebenfalls ein schwarzer Stahlturm mit weißem Band, kegelförmigem Kopf und verdecktem Umgang, steht neben dem Kühlwasserabfluss des Kernkraftwerks Brokdorf.

Bald nach Verlassen von **Brokdorf** grüßt schon das nächste Kernkraftwerk, und **Brunsbüttel** 03 am Beginn des Nord-Ostsee-Kanals ist erreicht. Bei Kanal-Kilometer 2,1 verbindet die Kanalfähre Brunsbüttel die Fährstraße am östlichen mit der Kautzstraße am westlichen Ufer direkt nördlich der Schleusenanlagen. Vom westlichen Fähranleger geht es links zur Tourist-

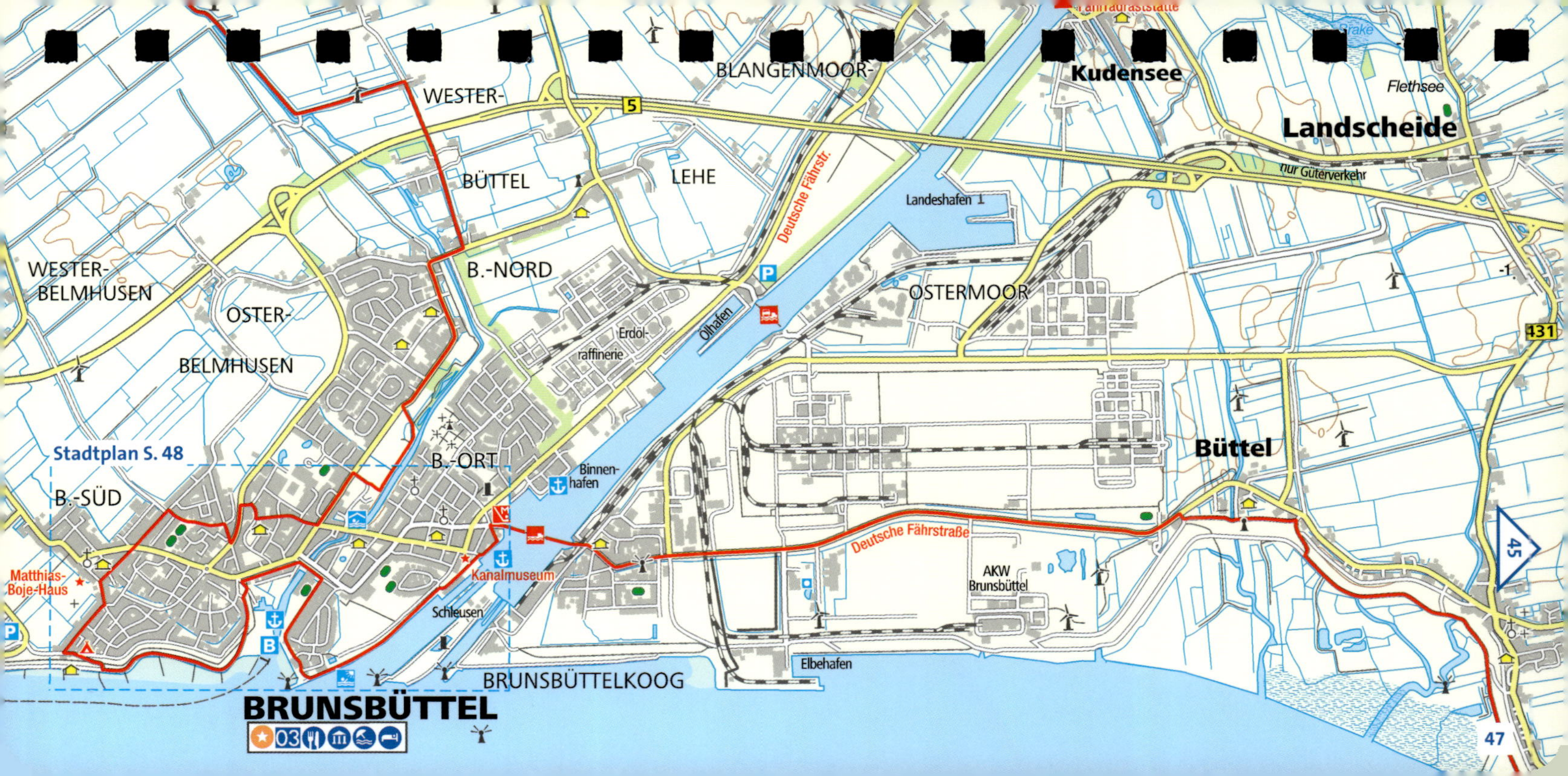
WESTER-
BLANGENMOOR-
Kudensee
Brake
Flethsee
Landscheide
5
BÜTTEL
LEHE
Deutsche Fährstr.
Landeshafen
nur Güterverkehr
WESTER-
BELMHUSEN
OSTER-
BELMHUSEN
B.-NORD
OSTERMOOR
Ölhafen
Erdöl-
raffinerie
431
Stadtplan S. 48
B.-ORT
Binnen-
hafen
Büttel
B.-SÜD
Deutsche Fährstraße
Matthias-
Boje-Haus
Kanalmuseum
AKW
Brunsbüttel
Schleusen
Elbehafen
BRUNSBÜTTELKOOG
BRUNSBÜTTEL
03
45

Stadtplan Brunsbüttel

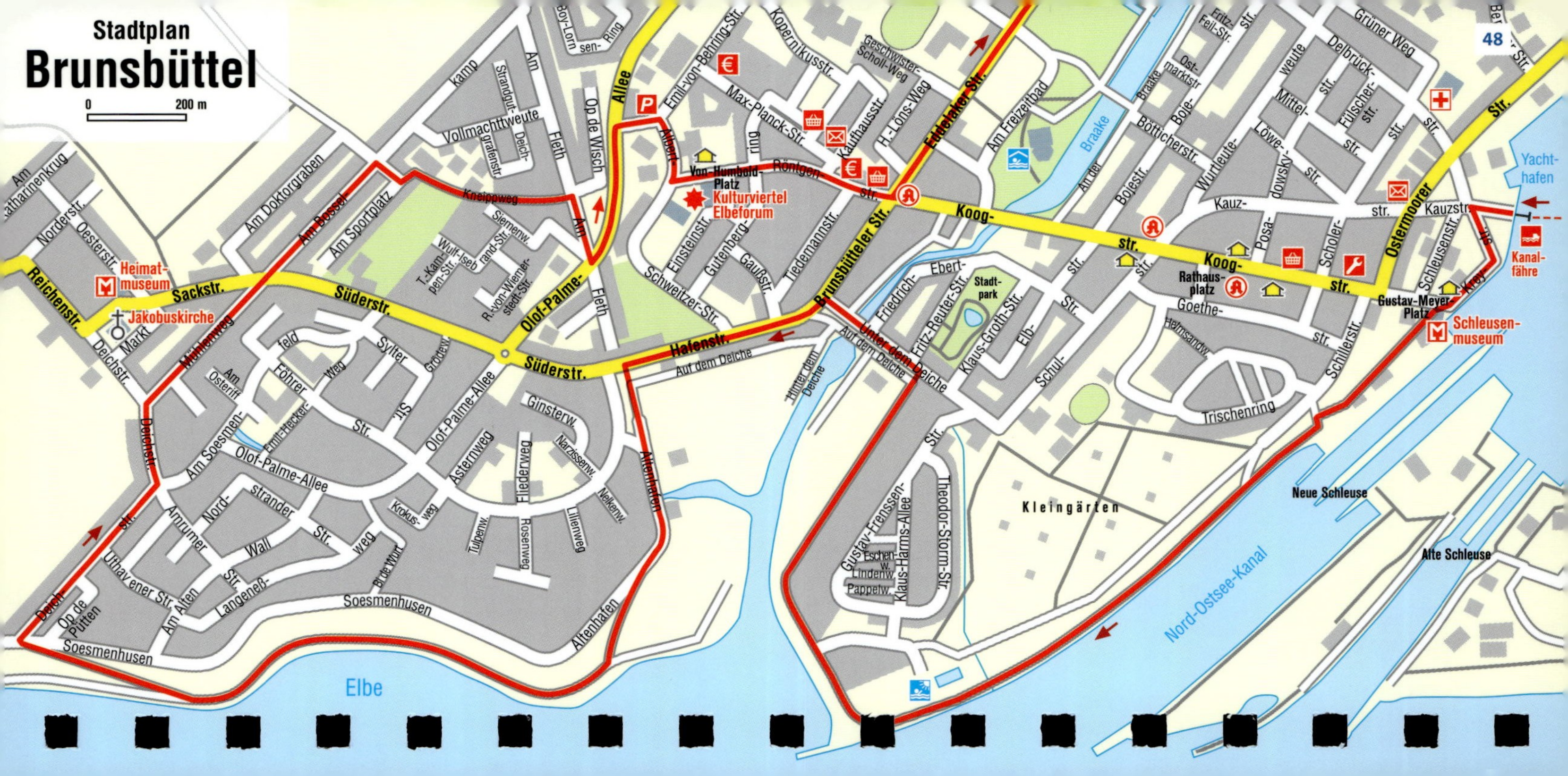

Information und – prinzipiell auf der Brunsbütteler Schleusenmeile (siehe Seite 63) – zum Freibad Ulitzhörn, hinter dem auf der aussichtsreichen Außenmole an der Elbe das **Molenfeuer 4** steht. Vor der Außenmole schwingt der autofreie Elbuferweg rechts und folgt dem grünen Deich an der Mündung der Braake zum Alten Hafen, einem Yachthafen im Tidebereich. Die Braake entstand beim Bruch des Elbdeichs bei der Weihnachtssturmflut 1717 (Braake = niederdt. Bruch, gebrochen); sie wird durch ein Schöpfwerk in die Elbe entwässert. Hier ist alles neu: 2010–13 wurde zwischen Altenhafen und Schleusen auf 3 km Länge eine der größten Deichverstärkungsmaßnahme an der Westküste Schleswig-Holsteins durchgeführt. Die Baumaßnahme begann westlich des Altenhafens und erstreckte sich über das Schöpfwerk an der Einmündung der Braake bis zur Schleuse am Nord-Ostsee-Kanal. Westlich des Altenhafens wurde der Deich auf einer Länge von rund 550 m vorverlegt.

Brunsbüttel, Molenfeuer 4.

Zur Entwässerung des Bellmer Fleths wurde ein neues Siel gebaut. Im Bereich des Schöpfwerkes an der Braake erfolgte die Erhöhung der Deichkrone auf NN +7,80 m aufgrund der beengten räumlichen Verhältnisse mittels Hochwasserschutzwänden.

Westlich des Altenhafens folgt der Nordseeküsten-Radweg bis ans westliche Ende der Bebauung dem Wasser bzw. dem Deich, und zwar in hoch attraktiver Aussichtsfahrt außendeichs, bis das Restaurant Strandhalle auf dem Elbdeich den endgültigen Abschied von der Elbe signalisiert. Hier kann man sich die Filets des Strandhallentopfs mit Blick auf die Elbmündung schmecken lassen, ehe die Deichstraße am Ortsrand am Jakobusfriedhof vorbei in Richtung des historischen Ortskerns von Brunsbüt-

Brunsbüttel, Restaurant und Strandhalle am Elbdeich.

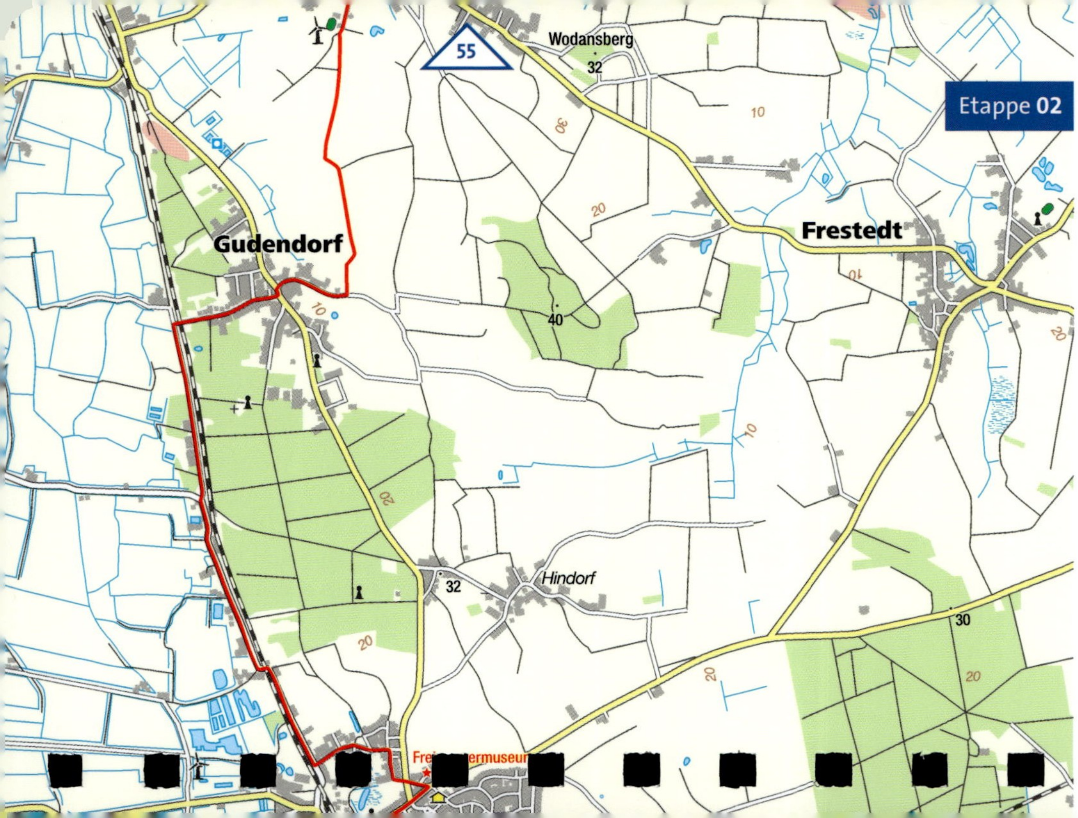

tel führt: Er ist im Vergleich zum Hafen- und Schleusengebiet ganz klein und liegt sozusagen außerorts, aber unverkennbar mit der Jakobuskirche (1677, 1726 nach Blitzeinschlag neu errichtet) am Marktplatz. Hier befindet sich auch das Heimatmuseum mit dem Matthias-Boie-Haus (1779), das als eines der schönsten Fachwerkhäuser Dithmarschens gilt.

In verwinkelter Innerorts-Routenführung leitet der Radweg zur Braake. Das fluss- bzw. kanalähnlich wirkende Gewässer entstand beim Bruch des Elbdeichs bei der Weihnachtssturmflut 1717 (Braake = niederdt. Bruch, gebrochen). Die Braake dient als Vorfluter zur Sammlung und Ableitung von Oberflächenwasser und wird durch ein Schöpfwerk in die Elbe entwässert. Die Braake erreicht im Stadtgebiet eine Breite von ca. 40 m und ist hier für die Freizeitgestaltung erschlossen: Angeln, Tretbootverleih, Betrieb von Schiffsmodellen, Bürgerpark.

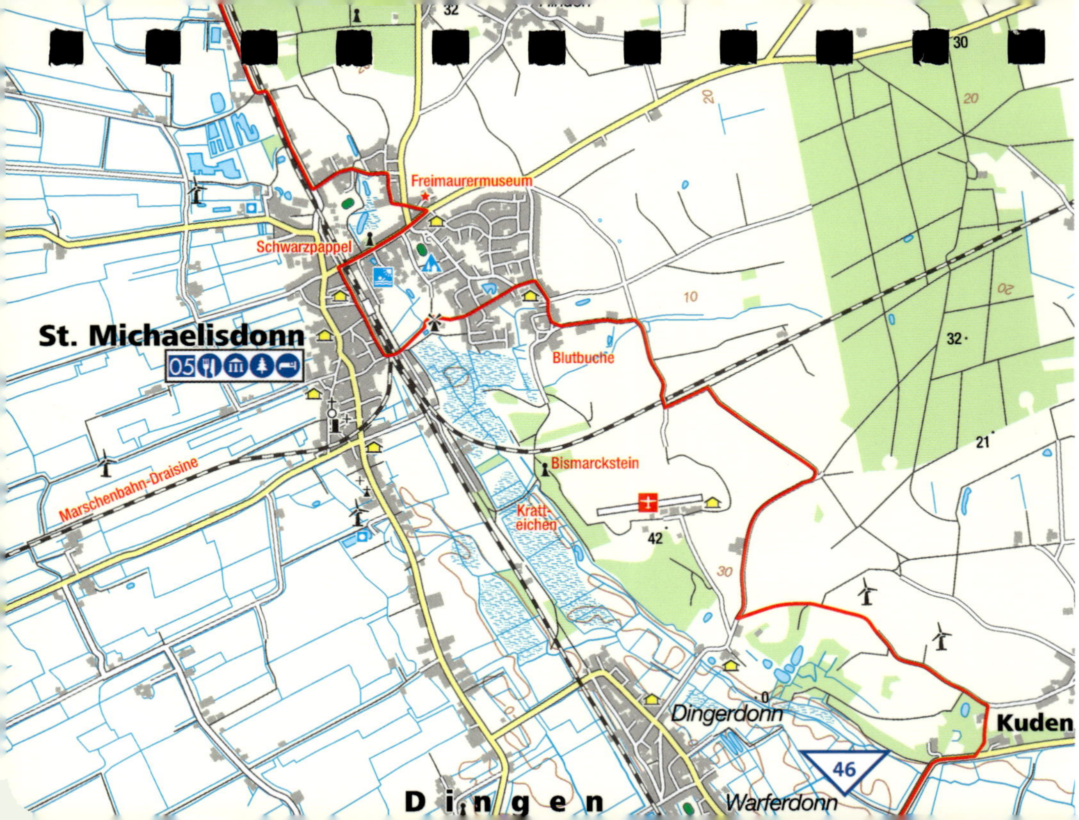

Brunsbüttel – Meldorf / 43 km / 4:15 Std.

Der Radweg folgt der Braake nordwärts, bald auf der Kreisstraße (Eddelaker Straße), überquert den Ortsrand (Westerbütteler Straße), zweigt gleich links auf dem Bauernweg zu den Häusern des Ortsteils Westerbüttel ab, quert die Bundesstraße B 5 „Grüne Küstenstraße“ und wendet sich an der nächsten Verzweigung links dem Helser Fleth zu, das nordwärts durch die von Kanälen durchzogene fette Marschenlandschaft führt, an der zweiten Fleth-Brücke rechts durch die Felder zum Kirch- und Windmühlendorf **Eddelak** 04. Von Eddelak folgt der Radweg der Landstraße in Richtung des ca. 30 m hohen Geestrandes, der das Marschenland begrenzt, umfährt in nun deutlich hügeligerem Gelände den Verkehrslandeplatz Sankt Michaelisdonn und erreicht das Kirch- und Windmühlendorf **Sankt Michaelisdonn** 05 am Übergang von der Geest zur Marsch. Am dortigen

Bahnhof Schwarzer Weg/Bahnhofstraße schließt sich der Radweg prinzipiell der Trasse der Marschbahn an, überquert den Gleiskörper jedoch an der ersten Kreuzung (Burger Straße) und folgt der Burger Straße zum Freimaurermuseum; das drittgrößte Freimaurermuseum Europas ist nach Voranmeldung zu besichtigen. Das Museum ist an der Straßenkreuzung Burger Straße/Meldorfer Straße/Hoper Straße in der ehemaligen Volksschule der früheren Gemeinde Westdorf untergebracht. Durch den Ortsteil Westdorf und die Zuckerstraße geht es an den Sportstätten des FC Schwarz-Weiß Sankt Michaelisdonn vorbei und dann längs der Marschbahnlinie rechts am Fuß des bewaldeten Geestrandes, bis rechts das Reetdachdorf **Gudendorf** ausgeschildert ist. Die Gedenkstätte Gudendorf erinnert an Kriegsgefangene der Roten Armee, die hier im Zweiten Weltkrieg in einem Lager umgekommen sind. Hinter dem östlichen Ortsrand winkelt der Radweg links in die Feldflur ab

Windmühlendorf Eddelak.

Geest und Marsch

Die sandig-steinige **Geest** wurde während der Saale-Eiszeit vor rund 200.000 bis 130.000 Jahren aufgeschüttet. Die von Skandinavien her einströmenden Gletschermassen verfrachteten Gesteinsschutt, Sande und Tone südwärts, seit dem Abschmelzen des Eises erheben sich die Moränen von Jütland und Schleswig-Holstein als bis zu über 100 m hohes Wallsystem zwischen Ost- und Nordsee. Die sandige Geest bildet zusammen mit den fruchtbaren Marschen an der Nordseeküste und dem abwechslungsreichen Hügelland an der Ostseeküste den landschaftlichen Dreiklang Schleswig-Holsteins. Das niederdeutsche Wort „gest" bedeutet „trocken und unfruchtbar", doch mit ihren Wäldern, Hochmooren, Heideflächen, Bächen und Wallhecken, ihren Granitquaderkirchen, Megalithbauten, reetgedeckten Gehöften und alten Dörfern bildet die zuweilen parkartige Geest ein kulturell und landschaftlich sehr abwechslungsreiches Ensemble.

Die **Marsch** ist der zwischen dem Wattenmeer und der Geest gelegene Bereich der Küstenebene, an den ehemals oder noch immer tidebeeinflussten Flussmündungen reicht die Marsch weit ins Landesinnere hinein (Elbmarschen). Die Marsch ist im Verlauf von Jahrtausenden durch natürliche Verlandung der Wattenmeerküste entstanden, seit etwa 1.000 Jahren wird Marschland dem Meer auch durch Deiche abgerungen. Der ehemalige Meeresboden wird als Kleiboden bezeichnet und wird überwiegend landwirtschaftlich genutzt: Die Marschbauern waren stets die reichsten Bauern mit dem fettesten Vieh und zuweilen palastartigen Gehöften. So ist die Wilstermarsch, eine der vier holsteinischen Elbmarschen, bis heute ein Synonym für die Viehhaltung. Leicht säuerlich bis leicht pikant schmeckt der feinporig gelochte Wilstermarschkäse, der in Dreiviertelfett- (30 %) bis Rahmstufe (50 % Fettgehalt) angeboten wird.

und führt aussichtsreich in das Kirch- und Windmühlendorf **Windbergen** **06** am Wodansberg. Auf das Dorf zuradelnd, hat man auf den Geesthügeln die Perspektive, die Detlev von Liliencron in der Ballade „Die Hochzeit von Windbergen" skizziert: „Ein Trummen und ein Pfeifen, / Die hör ich kullern und keifen", / Schreit wütend der König und hält. / Und hält in der Geest auf dem Hügel / Und stellt sich in die Bügel, / Ob ihm die Aussicht gefällt. / Und vor ihm das Marschdorf der Grenze / Streut Tannen und Efeukränze / Einem ziehenden Hochzeitspaar. / Benebelte Bauern umschwärmen / Die Trummen und Pfeifen und lärmen / Und nehmen es jauchzend wahr …

Der Nordseeküstenradweg verlässt den Ort auf der Westerstraße, überquert die Marschbahn und führt nordwärts ins nahe **Meldorf** **07**, die historische Hauptstadt Dithmarschens mit gotischem Dom auf einer Geestinsel.

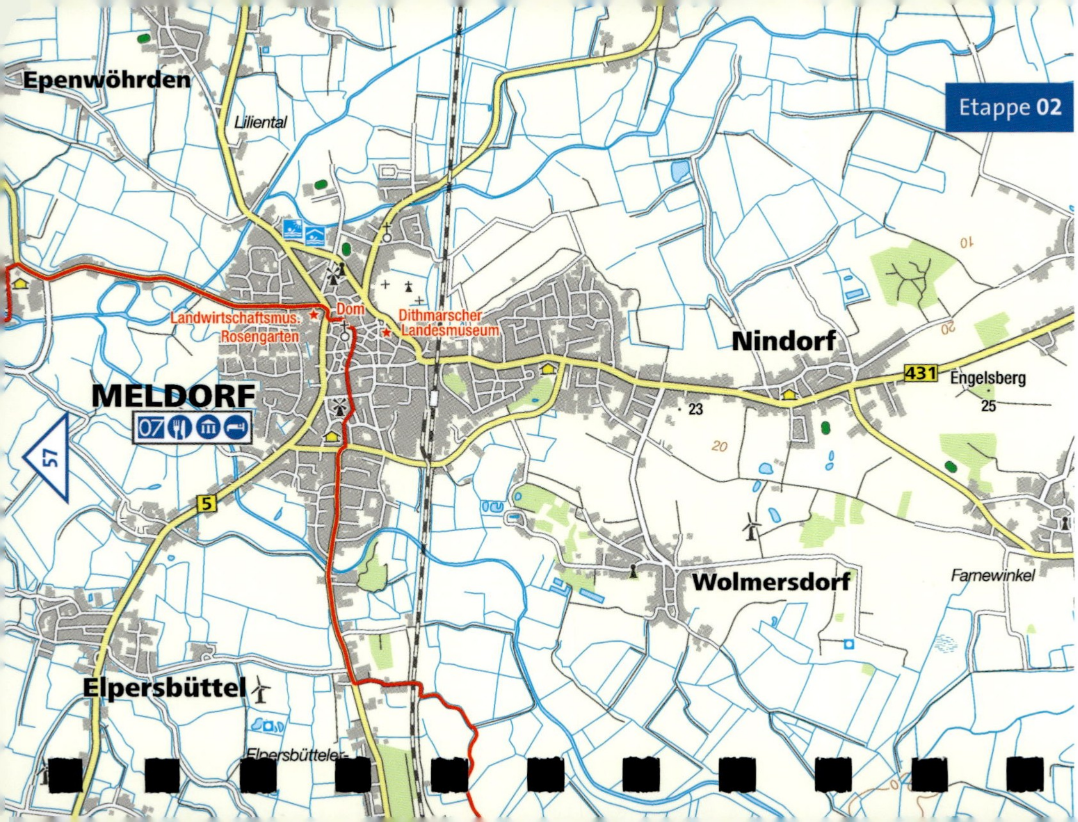

Meldorf – Büsum / 19 km / 1:50 Std.

Die Hafenchaussee leitet westwärts über die Miele zum alten Meldorfer Hafen, dort links und gleich rechts längs der überbreiten Zufahrt „Neuer Hafen", auf der Autos aus Naturschutzgründen 60 km/h nicht überschreiten dürfen. Rechts und links bieten sich schöne Ausblicke in die Naturschutzgebiete, kurz vor dem Neuen Hafen befindet sich links ein Vogelbeobachtungsgerüst am Kronenloch: Hier lassen sich Wasser- und Schlammflächen überblicken, auf der kleinen Sandbank in geringer Entfernung vor dem Gerüst halten sich gern Limikolen, Enten und Seeschwalben auf.

Wenig später ist die Verzweigung vor dem **Neuen Meldorfer Hafen** 08 und dem von Surfern befahrenen Mielebecken, einem Mahlbusen, erreicht Links lohnt der Abstecher zum nahen Nationalparkhaus Wattwurm; direkt ge-

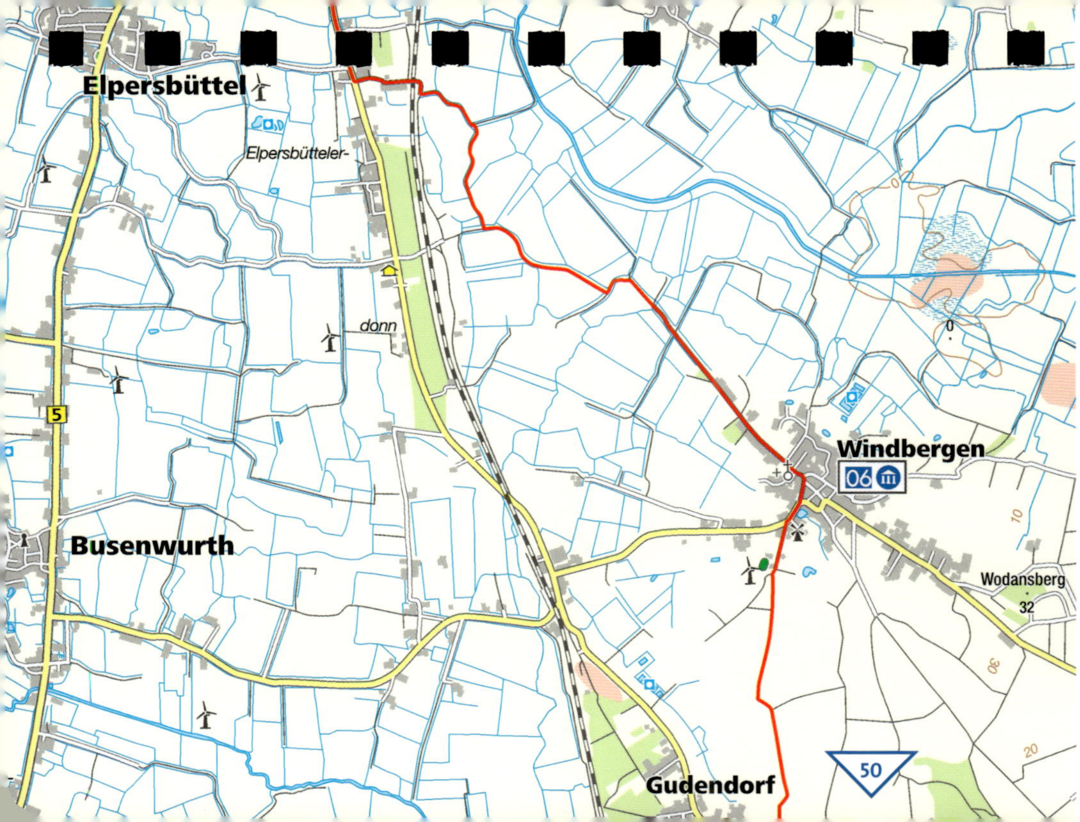

Speicherbecken vor der Schleuse Speicherkoog.

Holländer: Windmühlen mit Drehkappe

Andries van Moerbecke erfand 1573 die Windmühle mit Drehhaube: Die Haube mit den Flügeln wurde per Hand in den Wind gedreht. Da sich der Typ der Kappenwindmühle von Holland aus verbreitete, wird er meist als Holländermühle bezeichnet. Die Erfindung der Drehkappe bedeutete einen wesentlichen Fortschritt in der Windmühlentechnik. Während bei Vorgängern wie der Bockwindmühle das ganze Mühlengehäuse in den Wind gedreht werden musste und daher nur aus Holz erbaut werden konnte, konnte bei den Holländerwindmühlen der Unterbau in Stein errichtet werden. Dadurch stand im Mühleninneren weitaus mehr Arbeitsfläche und Lagerraum zur Verfügung und da sich die Höhe des Unterbaus variieren ließ, ergab sich zudem eine größere Standortauswahl, zum Beispiel innerhalb von Städten oder in Waldgebieten. Der einfachste Typ der Holländerwindmühle ist der auf ebener Erde errichtete „Erdholländer“: Die Kappe wird vom Erdboden aus in den Wind gedreht. Die „Wallholländer“ hingegen wurden auf Wällen und anderen künstlichen Aufschüttungen errichtet. Bei mehrstöckigen Holländern konnte die Bedienung der Schwenkrichtung der Kappe nicht mehr von unten erfolgen, sie wurden daher mit einer umlaufenden Bedienungsbühne, der Galerie, versehen („Galerieholländer“). Die Windmühlenflügel dienen der weiträumigen Übermittlung von Nachrichten. Dreht sich das Flügelkreuz, ist in der Mühle etwas los (früher: Mahlvorgang). Die Senkrechtstellung bedeutet „Pause“. Die Andreaskreuzstellung – 45 Grad – signalisiert „Feierabend“. Bei der Freudenschere stehen die Flügel auf 1, 4, 7 und 10 Uhr, bei der Trauerschere werden sie auf 2, 5, 8 und 11 Uhr gestellt.

Galerieholländer in Eddelak.

Nordermeldorf
Dusenddüwelswarft
Etappe 02
59
Speicherkoog
koog
7
3
09
08
Neuer
Meldorfer Hafen
Nationalpark
Informations-Zentrum
9
Barsfleth
Thalingburen
Epenwöhrden
Liliental
Landwirtschaftsmus.
Rosengarten
Dom
Dithma
Landes
MELDORF
07
54

genüber vom Eingang befindet sich eine weitere Vogelbeobachtungshütte am Kronenloch. Lohnenswert ist auch die Begehung des Naturlehrpfads am Nationalparkhaus: Der 500 m lange Holzbohlenweg führt durch Schilfflächen, Weiden- und Sanddorngebüsche sowie durch offene Bereiche, im Frühjahr sind auch Orchideen und Brutvogelarten wie Teichrohrsänger und Rohrammer zu sehen.

Von der Schleuse folgt der Nordseeküsten-Radweg dem Seedeich binnendeichs, der Asphaltweg an der Wasserlinie ist nur befahrbar in der Nebensaison, er bietet einen weiten Blick auf die Meldorfer Bucht und das Seebad Büsum. Die den begrünten und von Schafen beweideten Seedeich begleitende schmale Straße entfernt sich bald, sodass man auf dem Nordseeküsten-Radweg seine Ruhe hat. An der Seebadestelle **Nordermeldorf** stehen Strandkörbe, ein Restaurant lädt zur Einkehr ein, Wattwanderer können sich an Duschen den Schlick abbrausen, als Blickfang drängt sich wie fast überall an der Meldorfer Bucht das Hochhaus von Büsum auf. Von der Badestelle geht es weiter nordwärts, bald mündet wieder die Straße herein, und bei Gelegenheit sollte man nun den Seedeich ersteigen, um das **Naturschutzgebiet Wöhrdener Loch** zu überblicken: Nach der Eindeichung des **Speicherkoogs** 09 siedelten sich auf den Wattflächen Salz- und Süßwiesengesellschaften an, es folgten Röhrichte und Weidengebüsche. Um der Verbuschung und Verwaldung des Gebiets entgegenzuwirken, werden Schafe und Konik-Pferde sowie im Herbst und Winter Galloway-Rinder als

Koniks im Naturschutzgebiet Wöhrdener Loch.

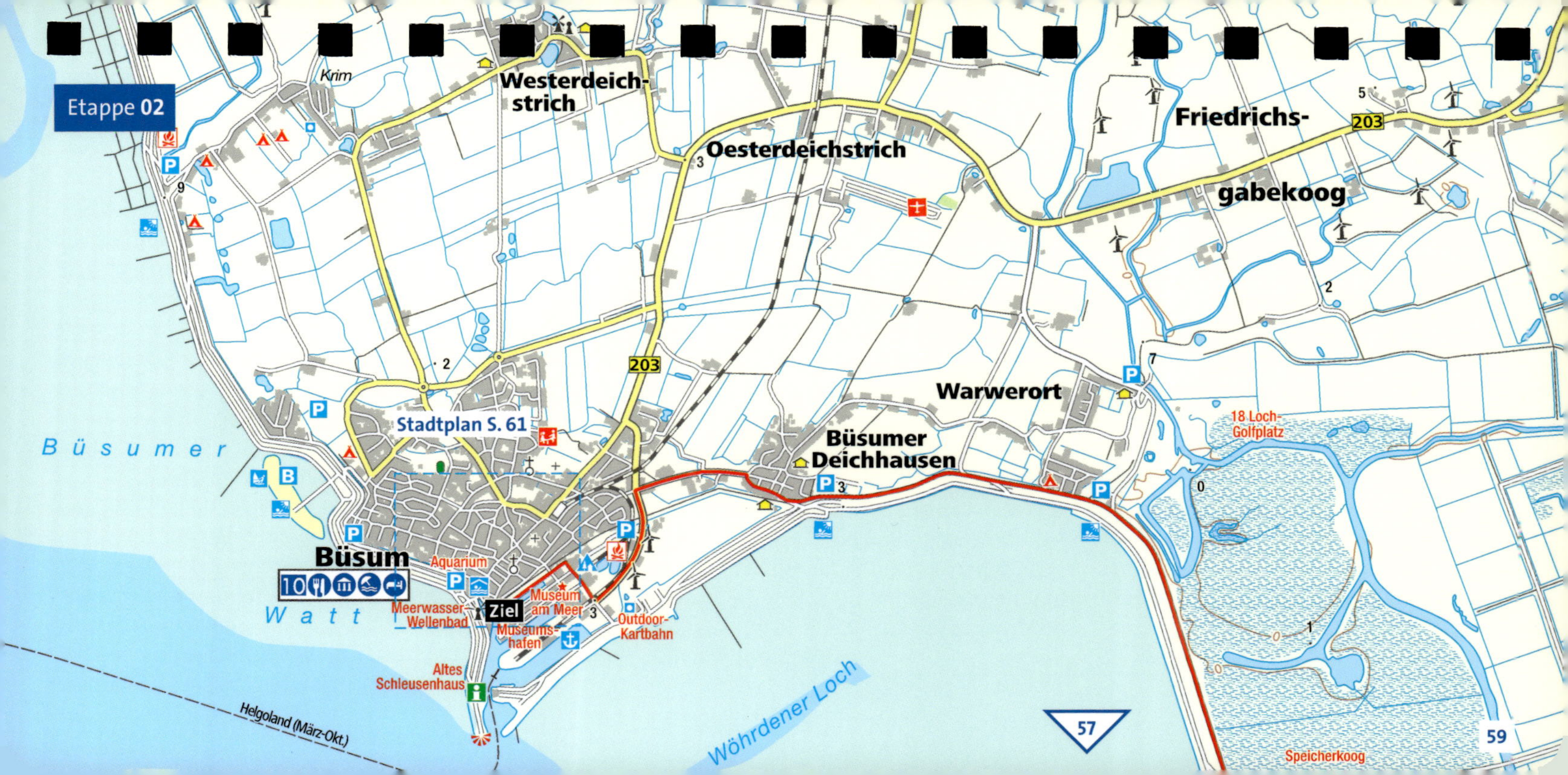
Krim
Westerdeich-
strich
Oesterdeichstrich
Friedrichs-
gabekoog
203
Warwerort
Büsumer
Deichhausen
Stadtplan S. 61
Büsumer
Watt
Büsum
Aquarium
Museum
am Meer
Meerwasser-
Wellenbad
Ziel
Museums-
hafen
Outdoor-
Kartbahn
Altes
Schleusenhaus
Helgoland (März-Okt.)
Wöhrdener Loch
18 Loch-
Golfplatz
Speicherkoog
57

Landschaftspfleger eingesetzt. Der Wandel der Vegetation hat auch das Artenspektrum der Brutvögel verändert: An die Stelle der Küstenvögel sind Wiesenbrüter wie Feldlerche, Kiebitz und Uferschnepfe getreten sowie die Bewohner der Röhrichte und Weidedickichte. Von Herbst bis weit ins Frühjahr rasten im Wöhrdener Loch Tausende Zugvögel und Wintergäste, auf den Wiesen finden sich neben Weißwangengänsen, Singschwänen und Pfeifenten Goldregenpfeifer und Kampfläufer. All diese Vögel sowie an den brackigen Wasserflächen nahezu alle europäischen Entenarten sowie zahlreiche Watvögel wie der Dunkle Wasserläufer, der Große Brachvogel oder die Pfuhlschnepfe lassen sich von einer Vogelbeobachtungshütte direkt am Nordseeküsten-Radweg binnendeichs beobachten.

Blanker Hans und Mandränken

Blanker Hans ist eine bildhafte Bezeichnung für die tobende Nordsee bei Sturmfluten. Sie soll zurückgehen auf den Deichgrafen von Risum, der nach der Fertigstellung eines vermeintlich sicheren Deichs kurz vor der zweiten Mandränke 1634 der Nordsee höhnisch zugerufen haben soll: „Trutz nun, blanke Hans!" Die Bezeichnung „blanke Hans" wird gedeutet als „blanker = armer Geselle" sowie als »schimmerndes Grau« (von mittelhochdeutsch blank = schimmernd und hasan = grau).
Der Kieler Dichter Detlef von Liliencron machte den Begriff durch die auf der nordfriesischen Insel Pellworm verfasste Ballade „Trutz, Blanke Hans" (1883) über den Untergang des Kirchspiels Rungholt während der Groten Mandränke 1362 populär. Das Museum „Sturmflutenwelt Blanker Hans" im Nordseebad Büsum vermittelt Sturmfluterfahrung „mit allen Sinnen". Das Deicharbeiterdenkmal „Trutz Blanker Hans" auf der Aussichtsplattform der Schleuse Speicherkoog erinnert an den Kampf mit der Nordsee bis heute.
Mandränke („Manntränke") ist die Bezeichnung für die beiden Nordsee-Jahrtausendsturmfluten von 1362 und 1634 mit Tausenden von Toten. Die Grote Mandränke („große Manntränke") von 1362 war die verheerendste Sturmflut, die Nordfriesland je heimgesucht hat. Sie zerschlug das gesamte Festland zwischen den Geestkernen von Sylt und Amrum und der heutigen Halbinsel Eiderstedt.

Bald darauf erreicht der Deich die Seebadestelle des gepflegten kleinen Ortes **Warwerort** mit kurtaxfreiem Strand. Warwerort war früher ein Hafenort, durch die Eindeichung des Speicherkoogs wurde der Hafen von der Meldorfer Bucht abgeschnitten. Am Deichübergang zur Seebadestelle Warwerort informieren Nationalpark-Lehrtafeln über Pflanzen und Tiere des Wattenmeeres. Wandert man auf der Krone des grünen

Deichs, lassen sich der ehemalige Hafenort Warwerort und die Meldorfer Bucht überblicken, auf dem befestigten Außendeichsweg reisen Radler auf der North Sea Cycle Route, auch das Zielgebiet mit dem Hochhaus von Büsum ist in Sicht. Auf der ersten Deichtrift wechseln die Radler auf die Landseite des Seedeichs, wenig später ist der Erholungsort **Büsumer Deichhausen** erreicht; für dort logierende Feriengäste ist der Strand kurtaxfrei, Tagesgäste bezahlen einen (geringen) Eintritt für den bewachten grünen Strandkorb-Badestrand, das Dach des Strandhauses lugt über den Deich.

In Büsumer Deichhausen verabschiedet sich der Nordseeküsten-Radweg vom Seedeich, folgt kurz dem zum Wanderweg umfunktionierten alten Deich auf der Straße Achtern Diek, am Ende links längs der Durchgangsstraße ins quirlige Seebad **Büsum** 10 Ziel.

AUSFLUGSZIELE / SEHENSWÜRDIGKEITEN & EINKEHRTIPPS

Brokdorf 02

Das Kirchdorf Brokdorf an der Deutschen Fährstraße ist der bekannteste Ort der Wilstermarsch. Wie schwer hier Unwetter wüten können, erlebten die Bewohner 1648, als der Kirchturm einstürzte; 1741 wurde der heutige erbaut. Wie Menschen demonstrieren können, erlebten die 900 Einwohner ab 1976. Rund 70.000 friedliche Kernkraftgegner sowie Tausende von Gewalttätern demonstrierten am 19. Februar 1977 gegen den geplanten Bau des Kernkraftwerks Brokdorf. Der als „Brokdorf II" bekannt gewordene Event war die bis dahin größte Anti-AKW-Demonstration in der Bundesrepublik Deutschland. 1986 ging das Kernkraftwerk ans Netz.

2010 demonstrierte eine Kette von über 100.000 Menschen zwischen den Kernkraftwerken Brunsbüttel, Brokdorf und Krümmel. 2011 beschloss die Bundesregierung, das Kernkraftwerk Brokdorf bis 2021 vom Netz zu nehmen.

Kostenlose Kanalfähre über den Nord-Ostsee-Kanal in Brunsbüttel.

Brunsbüttel 03

Die See- und Kanalhafenstadt Brunsbüttel (Betonung auf der ersten Silbe: brúnsbüdl) liegt im südlichen Dithmarschen an der Unterelbe, von der hier der Nord-Ostsee-Kanal abzweigt. Im frühen Mittelalter als „Piratennest" von Seeleuten gefürchtet, entwickelte sich das Kirchdorf ab dem 13. Jahrhundert zum ländlichen Elbvorort Dithmarschens und ist heute ein touristisches Highlight als Schleusen- und Hafenstadt am Beginn der meistbefahrenen künstlichen Wasserstraße der Welt.

Das **Matthias-Boie-Haus** (1779) im historischen Ortskern zählt zu den schönsten Fachwerkhäusern in Dithmarschen.

Der 1895 eröffnete **Nord-Ostsee-Kanal** beginnt in Brunsbüttel bei Kanal-Kilometer 0. Er teilt die Stadt in einen westlichen Teil (genannt Brunsbüttel-Nord), die Kernstadt, und einen östlichen Teil (genannt Brunsbüttel-Süd) mit dem Elbehafen und dem Kernkraftwerk. Zwei Fährverbindungen besorgen den Transport von Fahrzeugen und Personen über den Kanal. Das Kernkraftwerk Brunsbüttel produzierte ab 1976 Strom und wurde 2007 heruntergefahren; 2011 folgte der Beschluss der endgültigen Stilllegung.

Häfen: Brunsbüttel hat mehrere Häfen, der wichtigste ist der Seehafen „Elbehafen", ein Tiefwasserhafen zwischen dem Nord-Ostsee-Kanal und dem Kernkraftwerk. Er ist der einzig überregional bedeutende Nordseehafen in Schleswig-Holstein; wichtigste Umschlagsgüter sind Erdöl, Erdgas und Massengüter. Der ebenfalls an der Elbe gelegene Seglerhafen ist nur bei Hochwasser befahrbar. Am Nord-Ostsee-Kanal befinden sich unter anderem der Gästeyachthafen für die vorbeifahrenden Sportboote, der Ölhafen und der Hafen Ostermoor.

Kanalfähren: An zwei Kanalfährstellen transportieren in Brunsbüttel kostenlose Fähren Autos, Fahrräder und Passagiere zwischen den Ufern des Nord-Ostsee-Kanals. Der immer stärker werdende Bäder- und Berufsverkehr machte die Fährstellen zum Nadelöhr, bis 1983 die Brunsbütteler Hochbrücke eröffnet wurde. Bei Kanal-Kilometer 2,1 verbindet die Kanalfähre Brunsbüttel die Fährstraße am östlichen mit der Kautzstraße am westlichen Ufer direkt nördlich der Schleusenanlagen. Diese Kanalfähre ist Teil des Nordseeküsten-Radwegs, des Elbe-Radwegs und der Nord-

Schleusenmeile in Brunsbüttel.

Ostsee-Kanalroute. Bei Kanalkilometer 4,36 pendelt die Kanalfähre Ostermoor zwischen dem Ostermoorweg am östlichen und der Fritz-Staiger-Straße am westlichen Kanalufer.

Schleusenmeile: Die Brunsbütteler Schleusenmeile ist der Erlebnis-Rundweg am Beginn des Nord-Ostsee-Kanals einschließlich des Elbufers. Auch die 2012 eröffnete riesige Baustelle der 5. Schleusenkammer, die bis 2017 fertig gestellt sein soll, ist in die Schleusenmeile einbezogen. Ausgangspunkt ist die Tourist-Information am Gustav-Meyer-Platz am kanalseitigen Ende der Koogstraße direkt nebem dem Yachthafen und den Schleusenanlagen, auf die das Café „Torhaus“ an der Kreystraße 1 Panoramablick gewährt. Von hier aus können Schleusenführungen unternommen und das Schleusenmuseum Atrium (Eingang durch die Tourist-Information) besucht werden. Das Schleusenmuseum dokumentiert die Entstehungsgeschichte des Nord-Ostsee-Kanals.
Die Promenade führt zwischen den Schleusen und Kleingartenanlagen vorbei Richtung Elbe, Sitzbänke laden zum Verweilen und Schauen ein. Kurz vor dem Molenfeuer 4 befinden sich das Freizeithallenbad LUV mit Sauna, Dampfbad und beheiztem Außenbecken sowie gleich daneben das Freibad Ulitzhörn mit Blick

Brunsbüttel, Molenfeuer 1–3 an der Schleusenmeile.

auf die großen Pötte der Welt. Dahinter steht auf der Außenmole in Top-Aussichtslage das Molenfeuer 4, das gelegentlich von nicht ganz so gefestigten Kapitänen an- oder umgefahren wird. 2009 rammte ein 192 m langer zypriotischer Bulkcarrier (Schüttgutfrachter) die Mole so schwer, dass das Leuchtfeuer abgerissen werden musste. Geländer und Lampen wurden demoliert, Zementplatten angehoben und in Schräglage gebracht, sodass die Mole für die Öffentlichkeit gesperrt werden musste.

Insgesamt sind vier Molenfeuer in Sicht:
Molenfeuer 1: weißer Backsteinturm mit weißem Dach auf schwarzer Galerie mit der Aufschrift „1“, in Betrieb seit 1895, denkmalgeschützt, Alter Vorhafen. Dieses Molenfeuer markiert die östliche Einfahrt zum

Alten Vorhafen. Auf einem achteckigen Granitsockel steht ein achteckiger, sich nach oben verjüngender Turm mit zwei offenen Galerien. Das Dach hat die Form eines Helms, auf dem eine Wetterfahne mit der Jahreszahl 1895 befestigt ist. Der Molenkopf wird bei Dunkelheit angestrahlt.

Molenfeuer 2: roter Backsteinturm mit weißem Dach mit der Aufschrift „2“, in Betrieb seit 1895, denkmalgeschützt, Alter Vorhafen. Dieses Molenfeuer auf der Schleuseninsel markiert die westliche Einfahrt in den alten Brunsbütteler Vorhafen; es ist baugleich mit Molenfeuer 1 und wird ebenfals bei Dunkelheit angestrahlt.

Molenfeuer 3: weißer Stahlturm mit schwarzem Dach und einem schwarzen Band mit der Aufschrift „3“, in Betrieb seit 1914 bzw. seit der Zerstörung des alten Backsteinturms durch einen griechischen Holzfrachter 1993 als Stahlturm neu errichtet, Neuer Vorhafen. Das dritte Molenfeuer steht wie Feuer 2 auf der Schleuseninsel.

Molenfeuer 4: weißer Stahlturm mit rotem Dach und einem rotem Band mit der Aufschrift „4“, in Betrieb seit 1977 bzw. als Neubau nach der Zerstörung durch einen zypriotischen Bulkcarrier seit 2011. Das Feuer markiert die westliche Einfahrt in den Neuen Vorhafen und wird ebenfalls bei Dunkelheit angestrahlt.

Richtfeuer: Auf der Schleuseninsel steht zudem das Unterfeuer der Richtfeuerlinie Brunsbüttel, ein runder roter Turm mit drei weißen Bändern und trichterförmiger roter Laterne mit Flachdach. Das prinzipiell gleich aussehende Oberfeuer steht 1.630 m weiter elbaufwärts im Industriegebiet, es hat nur zwei weiße Bänder. Die Richtfeuerlinie Brunsbüttel weist den flussaufwärts fahrenden Schiffen den Weg Richtung Hamburg.

Hochbrücke: Mit 2.831 m ist die Hochbrücke Brunsbüttel die längste Brücke über den Nord-Ostsee-Kanal und zugleich eine der längsten Brücken Deutschlands. Die 1979-83 errichtete Stahlfachwerkbrücke, Bestandteil der Bundesstraße 5, überspannt östlich der Stadt mit vier Fahrstreifen den Nord-Ostsee-Kanal bei Kanal-Kilometer 6,12 in einer maximalen Höhe von 44 m, die lichte Durchfahrtshöhe für Schiffe beträgt 42 m.

Blick zur Hochbrücke Brunsbüttel.

Eddelak 04

Die barocke **Backsteinkirche** wurde 1740 von Georg Schott über dem Fundament der Vorgängerin errichtet, vor dem Westgiebel steht auf eigenem Fundament der 1676 erneuerte, hölzerne Glockenturm. Der **Zwickstellholländer** „Gott mit uns“ (1865) ist Eddelaks Wappenzeichen. Der örtliche Mühlenverein betreut die Mühle, in der alljährlich 20 bis 30 Hochzeiten stattfinden.

Sankt Michaelisdonn 05

Sankt Michaelisdonn liegt in einer abwechslungsreichen Landschaft am Übergang zwischen Marsch und Geest. Benannt ist der Ort nach der 1611 auf einer Düne (Donn) errichteten Kirche. Wahrzeichen ist der reetgedeckte Kellerholländer Edda auf dem Mühlenberg. Sankt Michaelisdonn hat einen Bahnhof an der Marschbahn Hamburg-Altona–Heide–Husum–Westerland auf Sylt.

Draisinenbahn: Die Draisinenbahn zwischen Sankt Michaelisdonn und Marne ermöglicht Eisenbahninteressierten, Draisinenfreunden und Naturliebhabern das Erleben der historischen Marschbahnstrecke. Auf 9 km Gleislänge rollen die Fahrraddraisinen durch die Landschaft mit ihren Marschweiden und Windkraftanlagen. Einmalig ist, dass die Draisinen durch so genannte Stecksegel für die Fahrt in Windrichtung angetrieben werden können; ein Erlebnis ohne Kraftanstrengung, wenn der frische Seewind bläst.

Das **Naturschutzgebiet Kleve** (Kliff) südsüdöstlich von Sankt Michaelisdonn umfasst einen besonders eindrucksvollen Abschnitt des Kliffrands, mit dem der Geestrücken zur Marsch abstürzt; nicht nur an den beiden Aussichtspunkten gibt es viel zu entdecken in diesem Heidelebensraum mit seinen arten- und strukturreichen Wäldern. Vor dem Ende der letzten Eiszeit, der Weichsel-Eiszeit, vor 11.000 Jahren lag der Meeresspiegel rund 60 m niedriger als heute. Das Schmelzen der Gletscher verursachte große Überflutungen. Vor etwa 5.000 Jahren verlief die Küstenlinie unmittelbar vor dem Geestrand. Die Nordsee brandete gegen die hoch aufragende Alt-Moräne, die sich in der vorletzten Eiszeit (Saale-Vereisung) gebildet hatte. Im Lauf der Jahre kam es zu Unterspülungen und Uferabbrüchen und es formte sich allmählich eine Steilküste. Das abgetragene Erdreich lagerte sich als lang gestreckter Nehrungshaken (Donns) vor der Küste ab. Daraus entwickelte sich schließlich in Form von natürlicher Anlandung die Marschlandschaft. Je höher diese natürlichen Marschanlandungen wurden, desto mehr zog sich die Küstenlinie vom Kliff zurück, worauf die Alt-Moräne abflachte und nach und nach ihr Eichen-Mischwald-Kleid erhielt, das dann in weiten Teilen vom Menschen zu Schafweiden umbrochen wurde und verheidete.
Der eindrucksvolle Höhenzug ragt heute bis zu 30 m aus der weiten Marschebene empor. Für viele Tierarten, die das Licht, die Wärme und die Trockenheit bevorzugen, sind die Trockenhänge des Kleve ein bedeutender Lebensraum.

Windbergen 06 Das Kirchdorf Windbergen liegt am Rand der Mitteldithmarscher Geest, der Bahnhof an der Marschbahn befindet sich weit außerorts am Geestfuß. Als 1495 auf einem Acker eine Messingfigur des gekreuzigten Jesus gefunden wurde, bauten die Leute eine Kapelle. Bis zum Einzug der Reformation in Dithmarschen 1533 war die Wallfahrt zum Heiligen Kreuz sehr beliebt. 1547 wurde die Kirche Pfarrkirche. 1742 wurde das alte, kleine Gotteshaus zum Heiligen Kreuz abgerissen und an derselben Stelle neu erbaut. Das 1495 auf dem Acker gefundene Kreuz ist erhalten und steht auf dem Altar. Die ehemalige Windmühle ist zur Wohnmühle umfunktioniert und hat Flügelattrappen.

Meldorf 07

Meldorf ist die historische Hauptstadt Dithmarschens mit gotischem Dom auf einer Geestinsel, die sich ursprünglich im Wattenmeer erhob; durch Landgewinnungsmaßnahmen ist die Küste der Meldorfer Bucht inzwischen schon 8 km entfernt. Hauptattraktion ist der Dom, eine dreischiffige Basilika im Stil der Backsteingotik. Das Dithmarscher Landesmuseum, das älteste Museum in Dithmarschen (1872), dokumentiert bäuerliche Kunst wie Keramik, Silber- und Fayenceschmuck, Schnitzereien und Webereien, den Swynsche Pesel von 1566 u. a. Die Nordermühle (privat) ist ein Erdholländer mit Steert, die Südermühle bildet den Rahmen des Restaurants „Im Speicher". Bürgerhäuser des 18. Jahrhunderts mit Brettergiebeln und Fachwerksspeicherschuppen befinden sich an der Burgstraße im sog. Burgviertel, das seinen Namen nach einer vorzeitlichen Burg trägt.

Neuer Meldorfer Hafen 08

Der Neue Meldorfer Hafen mit der modernen Schleusen- und Sielanlage an der Meldorfer Bucht liegt seit der Eindeichung des Speicherkoogs 8 km vor den Toren der Stadt Meldorf. Er wird u. a. als Yachthafen genutzt, das Nationalparkhaus „Wattwurm" informiert über Tiere und Pflanzen und veranstaltet Exkursionen. Der weiterhin existierende (alte) Meldorfer Hafen liegt an der Miele nur 1 km vor Meldorf; durch den neuen Seedeich verlor er den Zugang zur Nordsee.

Speicherkoog 09

Der Speicherkoog ist das bedeutendste Vogelbeobachtungsgebiet, Wassersportzentrum und neben Büsum Seebadeparadies Dithmarschens. Der Speicherkoog ist das nach der verheerenden Sturmflut von 1962 eingedeichte Niederungs- und Salzwiesengebiet der Meldorfer Bucht am Nationalpark Schleswig-Holsteinisches Wattenmeer. In den Jahren 1969–78 wurde die 30,6 km lange alte Deichlinie durch einen 14,8 km langen Seedeich ersetzt, wobei eine völlig neue Landschaft entstand. Die 5.000 ha große Fläche ist zu einem großen Teil als Naturschutzgebiet ausgewiesen und zugleich ein bedeutendes Naherholungsgebiet mit Wander- und Radwegen, das Speicherbecken beim Neuen Meldorfer Hafen ist ein bedeutender gezeitenunabhängiger Surfspot, die Schleuse Speicherkoog ein Anziehungspunkt für zahlreiche Ausflügler mit Badestelle.

Schleuse Speicherkoog: Die Schleuse Speicherkoog verbindet den Neuen Meldorfer Hafen mit der Nordsee und ist wegen ihrer Aussicht ein viel besuchtes Ausflugsziel. Auf der Aussichtsplattform erinnert das Deicharbeiter-Denkmal „Trutz Blanker Hans" an den Kampf mit den Gewalten der See. Sitzbänke laden dazu ein, den Blick auf die Meldorfer Bucht und die offene See sowie auf den Speicherkoog zu genießen, im Nordwesten ist das Seebad Büsum zu sehen, abends bietet sich ein herrlicher Sonnenuntergangsblick. Neben der Schleuse lädt das „Café am Hafen" zur Einkehr vor einem Strandkorbstrand ein. Die Seebadestelle Elpersbüttel ist ein grüner Strandkorbstrand südlich der Schleuse.

Nationalparkhaus: Am Nationalparkhaus „Wattwurm" beginnt ein 500 m langer Lehrpfad. Der Holzbohlenweg führt durch Schilfflächen, Weiden- und Sanddorngebüsche sowie durch offene Bereiche und ist besonders interessant im Frühjahr, wenn auch Orchideen und Brutvogelarten wie Teichrohrsänger und Rohrammer zu sehen sind.

Helmsand: Der Neue Meldorfer Hafen ist Ausgangspunkt der Speicherkoog-Deichtour südwärts zur ehemaligen Insel Helmsand, der einzigen Hallig Dithmarschens, und nordwärts zur Seebadestelle Nordermeldorf. Aus Vogelschutzgründen darf der Helmsand saisonal nicht bzw. nur bis zum Vogelbeobachtungswagen betreten werden: Auskunft erteilt das Nationalparkhaus „Wattwurm" am Ausgangspunkt, auch Schilder vor Ort weisen auf das jeweilige Ende der begehbaren Strecke hin.

Büsum 10

Büsum an der Meldorfer Bucht ist seit 1837 Nordseebad und berühmt für Krabbenkutter, Wattwanderungen und grasbewachsene Strandkorbstrände am Nationalpark Schleswig-Holsteinisches Wattenmeer, aufgespülte Sandstrände finden sich an der Perlebucht. Durch den Gezeitenstrom Piep ist die Fahrt vom durch ein Sturmflut-Sperrwerk gesicherten Hafen durch das Wattenmeer in die offene Nordsee möglich, weshalb Büsum nach Brunsbüttel den größten Hafen an der schleswig-holsteinischen Nordseeküste besitzt. Neben den Helgoland-Ausflugsschiffen „Lady von Büsum" und „Funny Girl" starten die 25 Büsumer Krabbenkutter (Kennzeichen SC) in See, hinzu kommt der Yachthafen mit 100 Liegeplätzen. Das in einem wellenförmigen Gebäude untergebrachte Museum „Sturmflutenwelt Blanker Hans" vermittelt Sturmfluterfahrung „mit allen Sinnen", beispielsweise während der Reise mit einer Rettungskapsel durch die Flut. Die geführte Wattwanderung von Büsum bzw. vom Wesselburenerkoog zum Blauortsand zählt zu den herausragenden Wattwanderungen im Nationalpark Schleswig-Holsteinisches Wattenmeer.

Perlebucht: Die Perlebucht ist der Familienstrand von Büsum. Zwischen dem Deich und der 100.000 m^2 großen, 1972 aufgeschütteten Sandinsel bieten zwei große Becken Badefreuden unabhängig von den Gezeiten. Das Trampolin „Happy Jump" dürfen Kinder ab zwei Jahre und bis zu 100 kg schwere Erwachsene benutzen, auch Tret- und Paddelboote können ausgeliehen werden. An der Wattenmeerseite der künstlichen Sandbank befindet sich die Kite- und Surfzone.

Das 1972 am Deich errichtete **Büsumer Hochhaus** ist mit 85 m das höchste Wohngebäude an der Nordseeküste Schleswig-Holsteins und ein prägnantes Seezeichen. Im Büsumer Hochhaus, dessen Betonpfeiler 26 m tief in den Erdboden reichen, wird in Ferienappartements investiert.

Der Büsumer Leuchtturm, 1912/13 errichtet, ist 21,4 m hoch.

Freilicht-Deichmuseum: Das Büsumer Freilicht-Deichmuseum im Neuenkoog dokumentiert den Wandel des Deichbaus vom Mittelalter bis heute. Für den mittelalterlichen Deichbau der Zeit um 1200 steht der Nachbau eines 1,5 m niedrigen Eiderstedter Sommerdeichs: Das Wirtschaftsland wurde vor sommerlichen Sturmfluten geschützt, während die höheren Warften Schutz vor den winterlichen Sturmfluten boten. Ab dem 15. Jh. wurden höhere Stackdeiche errichtet: Sie hatten seeseitig eine bis über 2 m hohe Wand aus Holzplanken; wegen des hohen Holzbedarfs waren Bau und Unterhalt kostspielig. Die von holländischen Deichbaumeistern ab 1600 errichteten Seedeiche hatten ein Regelprofil und waren um 4 m hoch. Der vierte Nachbau ist ein 40 m breiter und 5 m hoher Büsumer Bermedeich von 1805. Von den vier Nachbauten schweift der Blick zum 8,7 m hohen heutigen Seedeich. Die heutigen Seedeiche werden aus Sand von Schwimmbaggern aufgespült, mit einer schmalen Kleilage abgedeckt und mit Rasen begrünt.
Bahnanbindung: Büsum ist Endbahnhof der Bahnstrecke Heide–Wesselburen–Büsum.

Tourismusinformation siehe ab S. 144
Übernachtungsverzeichnis siehe ab S. 146

Büsumer Strand mit dem höchsten Wohngebäude an der Nordseeküste Schleswig-Holsteins.

Etappe 03 Büsum – Sankt Peter-Ording

Eidersperrwerk, Katinger Watt, Pfahlbauten, Sandstrände

37 km | 3:30 Std. | 4 hm | 2 hm

GPS-Koordinaten / Start
UTM Zone 32 x: 489.790 m y: 5.998.380 m

Startort: Büsum, 2 m
Start: Büsum, Nordseestraße an der Perlebucht
Ziel: Sankt Peter-Ording, 4 m
Charakter: Leichte Fahrt auf überwiegend asphaltierten, teils auch geschotterten, teils naturbelassenen Wegen.
Verkehr: Der Radweg folgt fast durchgehend autofreien Asphaltwegen am Seedeich.

Tipp: Mit Umsteigen in Husum und Heide sind Büsum und Sankt Peter-Ording durch die Bahn verbunden, sodass sich die Streckentour auch im Rahmen einer Tagestour unternehmen lässt mit Rückkehr vom Ziel- zum Ausgangsort.

Ausflugsziele / Sehenswürdigkeiten & Einkehrtipps siehe S. 82–85

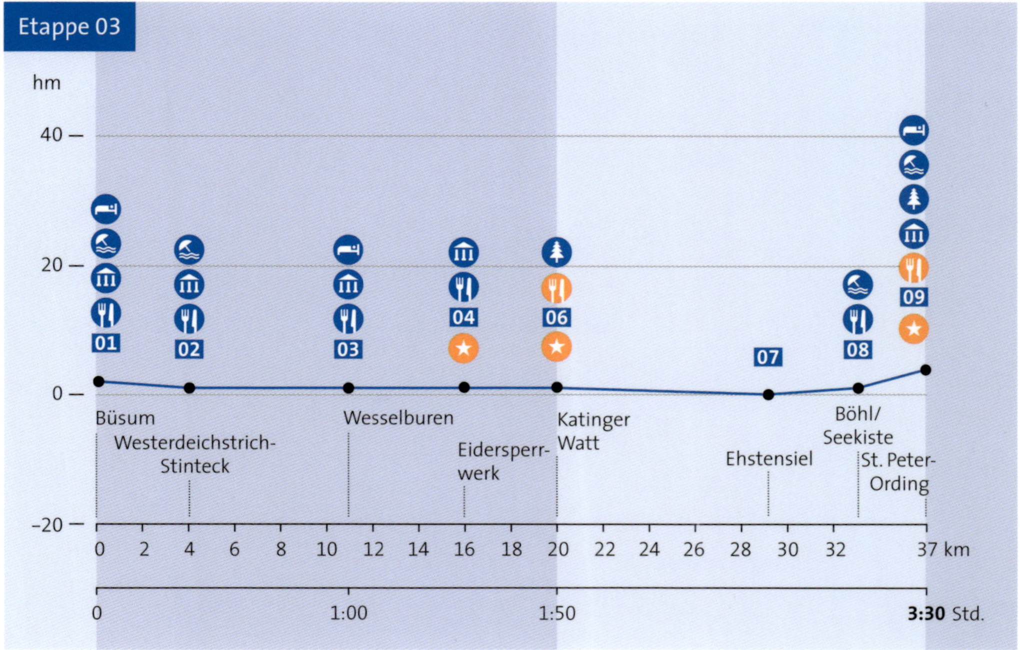

Zwischen den Seebädern Büsum in Dithmarschen und Sankt Peter-Ording auf der Halbinsel Eiderstedt ist der Nordseeküsten-Radweg ein Glanzlicht, auch ist er nur hier seinem Namen treu: Ohne Abstecher ins Binnenland folgt er durchgehend dem grünen Seedeich an der Küste, wobei sich auf weiten Strecken je nach Windrichtung die Deichverteidigungswege außendeichs zur Fahrt anbieten. Für Technikinteressierte ist das Eidersperrwerk, für Naturinteressierte das Katinger Watt ein Höhepunkt. Das Nordseebad Sankt Peter-Ording am Etappenziel wartet mit 13 km langen Sandstränden auf sowie mit der Dünen-Therme, in der man relaxen kann.

Büsum – Katinger Watt / 20 km / 1:50 Std.

Start Von der Perlebucht, dem Familienstrand des Seebads **Büsum** 01, folgt der Nordseeküsten-Radweg dem begrünten Seedeich nordwärts, hinter dem Ende der Bebau-

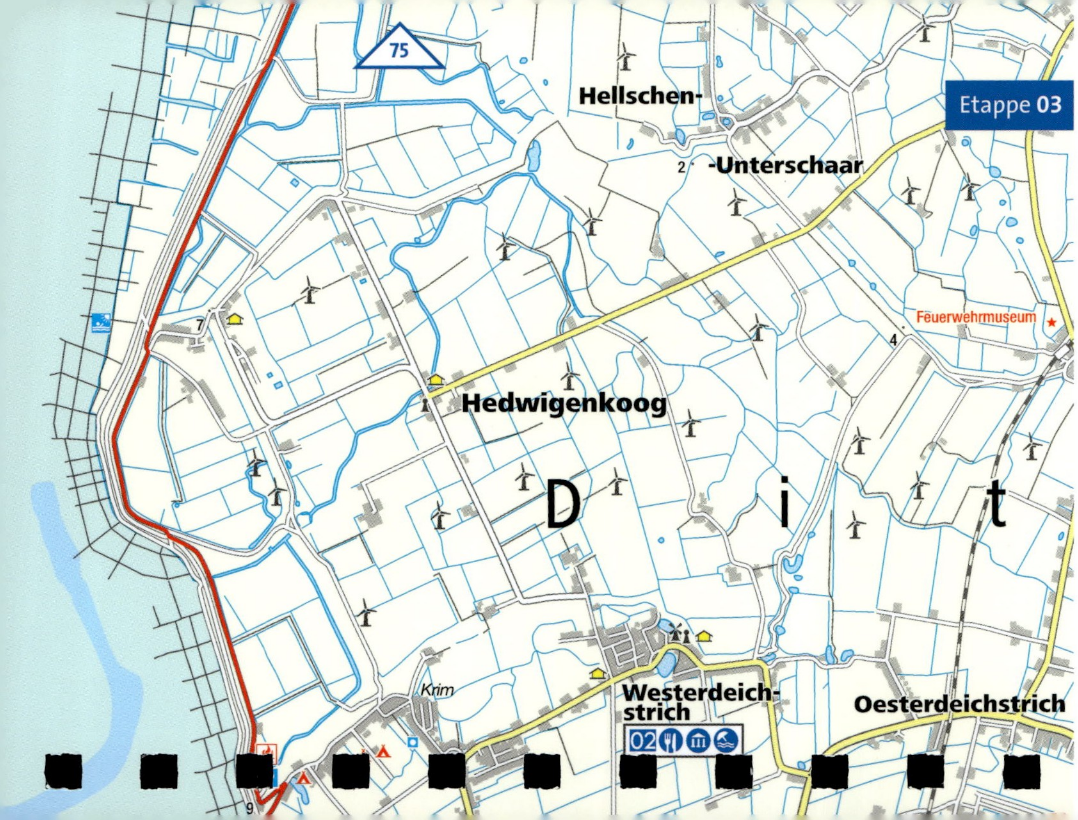

ung ist rechts das nahe Freilicht-Deichmuseum ausgeschildert. Der Seedeich gibt weiter die Route nordwärts vor, auch der aussichtsreiche Deichverteidigungsweg an der Wasserlinie ist für Fahrräder geeignet, beschildert ist der Radweg jedoch nur binnendeichs.

Landeinwärts zeigt sich das Flügelkreuz der **Windmühle Margaretha** (1845), des Wahr- und Wappenzeichens von **Westerdeichstrich** 02, dessen grüne Strände und das Panorama-Café am Strand Stinteck bald erreicht sind; in Westerdeichstrich logierende Feriengäste haben mit der Gästekarte freien Strandzugang, andere zahlen eine geringe Gebühr. Der Seedeich führt am FKK-Strand Stinteck vorbei weiter nordwärts, über den vorgelagerten Priel Ossengoot flitzen Speed-Surfer. Ab der Naturbadestelle Hirtenstall am Rand des Hedwigenkoogs vergrößern sich die Salzwiesen, die dem Seedeich vorgelagert sind, weit draußen liegt die Sandbank Blauortsand.

Ab hier fährt man nur noch im Grünen, Schafe blöken, Möwen schreien, weit landeinwärts zeigt sich der russische Zwiebelturm der auf einer Warft errichteten Kirche der Hebbelstadt **Wesselburen** 03, auch das Eidersperrwerk ist unübersehbar. Vor der Dithmarscher Seite der Eidermündung entstanden im 18./19. Jh. zwei Erhöhungen, die zusammenwuchsen und das Kernland der Gemeinde Wesselburenerkoog bilden. Bereits 1819 wurde hier die Viehtränke „Die Burg" angelegt. Heute befinden sich hier der Campinglatz Wesselburenerkoog, Gasthof und Badestelle sowie der Ausgangspunkt für geführte Wattwanderungen zum **Blauortsand**.

Gleich darauf erreicht der Radweg das **Eidersperrwerk** 04. An der Mündung der Eider gibt es außer dem Sperrwerk mehrere Verweilpunkte, der erste nördlich des Sperrwerks ist der hölzerne Vogelbeobachtungsturm in den Wiesen rechts der Eiderdammstraße; er ist architek-

tonisch der Bake der Hallig Süderoog nachempfunden, die offene obere Aussichtsplattform liegt auf 13,5 m über NN.

An der Straßenkreuzung weiter nördlich befindet sich rechts das **Naturschutz-Infozentrum**

Wattwanderziel Blauortsand

Die geführte Wattwanderung von Büsum bzw. vom Wesselburenerkoog zum Blauortsand zählt zu den herausragenden Wattwanderungen im Nationalpark Schleswig-Holsteinisches Wattenmeer. Der durch die Blauortbake markierte, vegetationslose Außensand liegt etwa 6 km vor der Dithmarscher Küste, auf die er sich jährlich mehrere dutzend Meter zubewegt. Die 1.200 x 500 m große Sandbank erhebt sich knapp 2 m über der mittleren Hochwasserlinie und wird auch von Seevögeln und Seehunden gern aufgesucht.

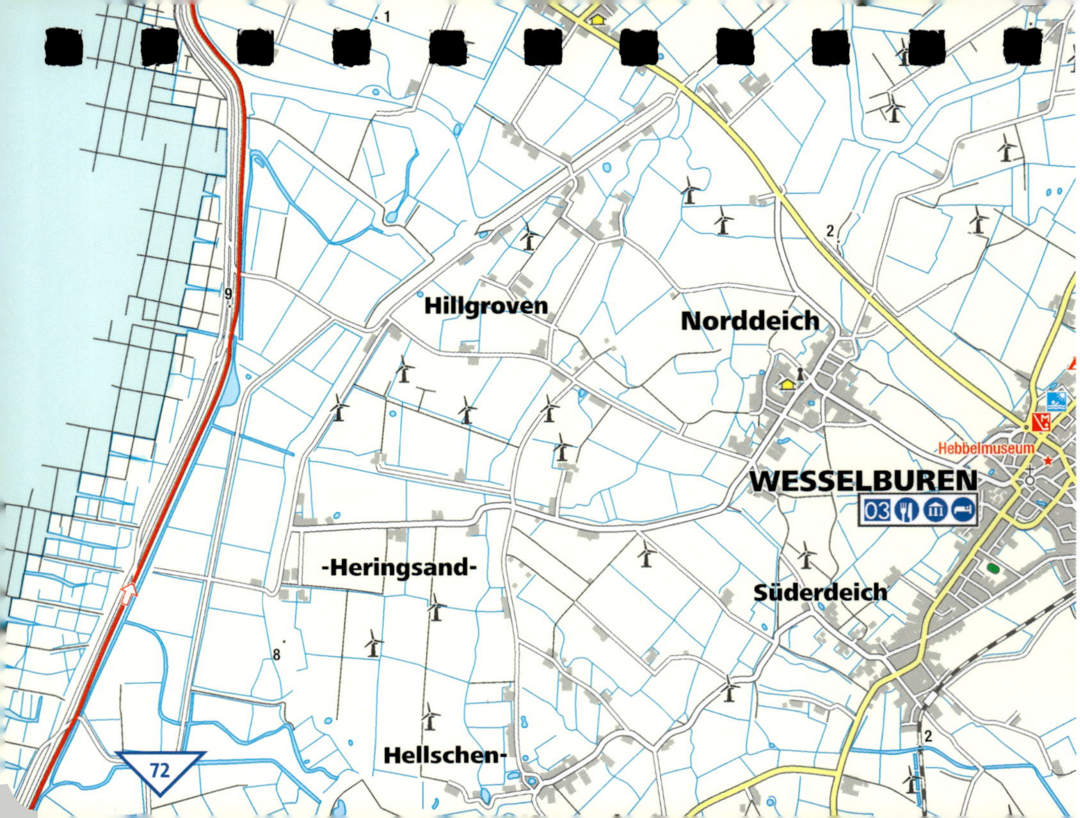

Katinger Watt 06, von dem aus der Abstecher in das gleichnamige Naturschutzgebiet lohnt.

Katinger Watt, Naturerlebnisturm.

Etappe 03
Garding Kirchspiel
Süder
Bootfahrt
Welt
Grothusenkoog
Westhof
Andresen
Käsestraße
Lina-Hähnle-Haus
06
Naturzentrum
Vollerwiek
Ehstensiel
07
Ehstersieler
Plate
Kleine
Vollerwiekplate
Wattwanderungen
Katinger
Große
Vollerwiekplate
81
74
78
NP-Info
B
P

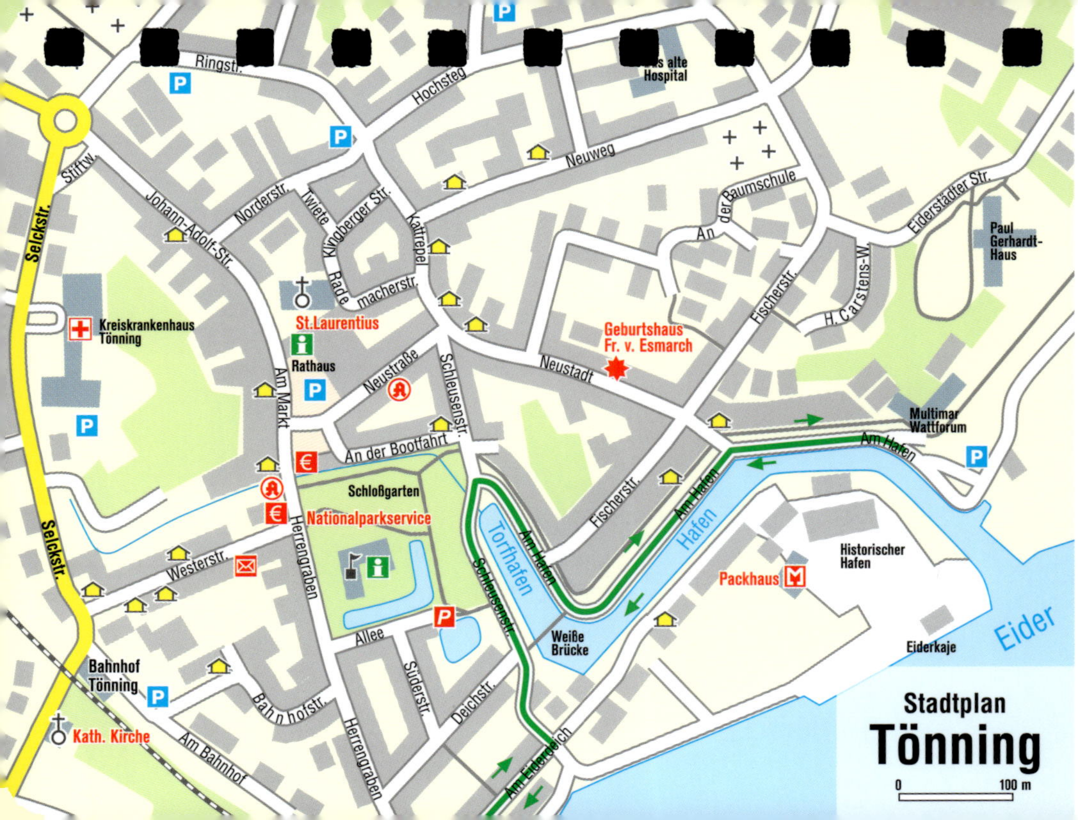

Multimar Wattforum Tönning

Das Multimar Wattforum in Tönning ist die größte Ausstellung zum Nationalpark Schleswig-Holsteinisches Wattenmeer. Zwölf Großaquarien mit einem Wasservolumen von insgesamt 150 m³ sowie 17 Sonderaquarien zur Darstellung kleinerer Meerestiere dokumentieren die Lebensräume der einheimischen Meeresbewohner.

Die Dauerausstellung „Wale, Watt und Weltmeere" im Walhaus lässt die Besucher in die Welt der Wale eintauchen und Whale-Watching im Trockenen erleben. Die Aquarien fungieren zudem als Aufzuchtstellen für bedrohte Meerestiere; so wurde mit im Wattenmeer gefangenen Seepferdchen der Gattung Hippocampus guttulatus, die in der Nordsee eigentlich als ausgestorben galt, erfolgreich eine Nachzucht erreicht;

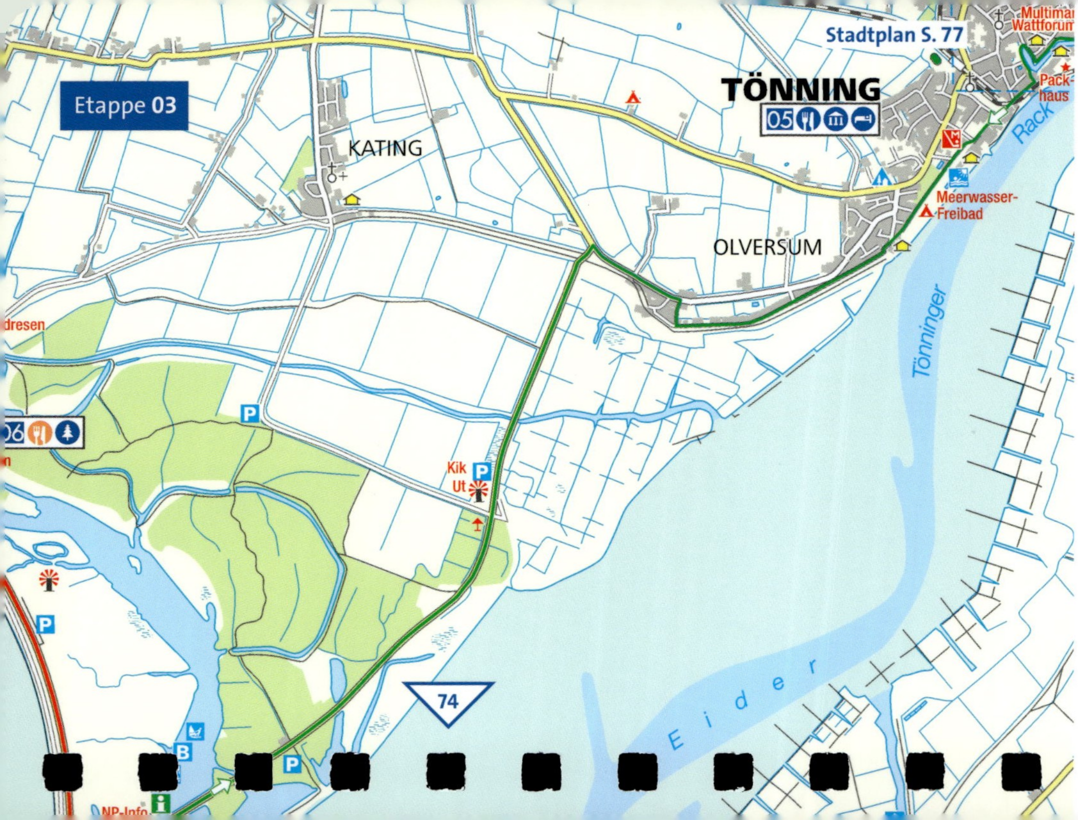

auch die Vermehrung von Katzenhaien ist erfolgreich gelungen.
Nationalparkzentrum Multimar Wattforum,
Am Robbenberg, 25832 Tönning, Tel. 04861-96200,
www.multimar-wattforum.de

Um nach **Tönning** 05 zu gelangen, biegen wir die erste Straße nördlich des Eidersperrwerks rechts ins Katinger Watt ab. Am Ende der Wälder steht links der Aussichtsturm Kiek ut, wir lenken weiter geradeaus durch die Feldflur, am Ende rechts Schäferweg, bis die Radwegeschilder in der ersten Siedlung rechts versetzt durch die Deichgrafenstraße ans Wasser und zum Meerwasser-Freibad Tönning führen. Auf der Straße Am Eiderdeich geht es ortseinwärts und an der Kreuzung links auf der Schleusenstraße am Torfhafen entlang zum nahen Schlosspark, hier rechts und am Hafen entlang zum Nationalparkzentrum Multimar Wattforum.

Katinger Watt – St. Peter-Ording / 17 km / 1:40 Std.

Der Nordseeküsten-Radweg zweigt an dieser Kreuzung links zum Süderdeich der Halbinsel Eiderstedt ab und folgt dem grünen Deich zur Seebadestelle **Vollerwiek** am Campingplatz „Olendiek". Eine Treppe führt zur Lebensrettungsstation auf der Deichkrone mit Blick auf die kleine Bucht mit der Badestelle; hier muss eine geringe Eintrittsgebühr entrichtet werden, da Annehmlichkeiten wie der gepflegte Rasen, Sitzbänke, Duschen, Sanitäranlagen, ein Sandkasten, das Aufstellen der Strandkörbe usw. finanziert werden wollen. Blickfang links ist das Eidersperrwerk, das aus dieser Perspektive schon klein wirkt, südwestwärts fällt der Blick auf die offene Nordsee.

Der Name „Purrenstrom" für den Prielstrom im Mündungstrichter der Eider kommt von „Porren": Krabben. Landseitig fällt der Blick auf das idyllische Land von **Vollerwiek** mit alten Bäumen, Einzelgehöften und dem Spitzhelm der Martinskirche, einem romanischen Gotteshaus, das von Garding aus 1113 gegründet wurde.

Der Radweg folgt nun durchgehend dem Seedeich nach Sankt Peter-Ording, wobei wiederum die weitaus attraktivere Variante der Asphaltweg an der Wasserlinie ist, bei starkem Südwest allerdings dankt man dem Seedeich für Windschutz und radelt binnendeichs. Ein schöner Rastplatz ist der kleine Hafen **Ehstensiel** **07**, und kurz nach Passieren des Nordsee-Golfclubs Sankt Peter-Ording ist in **Böhl**

Blick vom Seedeich auf Vollerwiek.

08 der erste Pfahlbau von Sankt Peter-Ording erreicht. Ein Deichübergang führt zur **Seekiste**, einem auf Pfählen errichteten Restaurant am Böhler Strand; die Badegäste fahren im Sommer mit Pkws auf den Strand, Rad- und Autospur sind getrennt. Auf der Außenseite des Teerdeichs geht es weiter zum 18,4 m hohen **Böhler Leuchtturm**, dem 1892 auf dem Deich errichteten Wahrzeichen von Böhl. Auf der Landseite befindet sich der Kurpark, während der Radweg außendeichs weiter nordwärts führt, wo bald darauf ein Rad- und Fußweg zum auf Pfählen errichteten Restaurant Strandburg am Südstrand abzweigt. Wenig später ist die Seebrücke nahe des Freizeit- und Erlebnisbads Dünen-Therme in **Sankt Peter-Ording** 09 erreicht.

Der Böhler Leuchtturm wurde 1892 erbaut und ist 18,4 m hoch.

Am Beginn der wellenförmig geschwungenen Brücke lädt das Panoramarestaurant Gosch, eine Filiale des Sylter „Fischkönigs" Jürgen Gosch, zur Einkehr ein. 1.059 Meter lang ist die aussichtsreiche Seebrücke, an der eine zweite Einkehrmöglichkeit Sylter Provenienz liegt: das Pfahlbau-Restaurant Sansibar Arche Noah, eine Filiale der Sylter Kultrestaurants „Sansibar" am gleichnamigen Dünenstrand **Ziel**.

Dünen-Therme
Seebrücke
Ziel
Wasserspielplatz
Sansibar
Arche Noah
Bad St. Peter
Kurpark
14.
U t h o l m
St. Peter-Ording
09
Dorf St. Peter
Etappe 03
Dreilandeneck
Grothusenkoog
Westhof
Aquarium
Westküstenpark
Olsdorfer Sielzug
Stadtplan S. 85
Böhl-
08
Strandausritte
Regattastrecke
Süderhöft
Ehstensiel
07
Strandsegeln
H i t z - s a n d
Reiten
Wattwanderungen
Betretungsverbot in der Brutsaison (IV-VII)
Ehstersieler Plate
Kleine Vollerwiekplate
76

AUSFLUGSZIELE / SEHENSWÜRDIGKEITEN & EINKEHRTIPPS

Hebbelstadt Wesselburen 03

Die auf zwei Wurten in der Marsch errichtete Stadt Wesselburen liegt in Dithmarschen nahe des Eidersperrwerks, überregional bekannt ist sie als Geburtsort des Dramatikers Friedrich Hebbel (1813–63), modebewusste Karrierefrauen mit minimalistischem Outfit wissen zudem, dass in Wesselburen Jil Sander das Licht der Welt erblickte, doch der Lady Cashmere wurde noch kein Museum gewidmet.

Hebbel-Museum Das Hebbel-Museum befindet sich an der Österstraße 6 im Gebäude der Alten Kirchspielvogtei, wo Hebbel sieben Jahre lebte und arbeitete. Das Museum ist dem Leben und Werk des Dithmarscher Dichters gewidmet, der in Wien seine größten Erfolge feierte. Das Wiener Zimmer präsentiert den Lebensstil des Bühnenklassikers in seiner erfolgreichsten Lebensphase. Am Beispiel bedeutender Persönlichkeiten aus ferner Vergangenheit gestaltete er in seinen Tragödien unüberbrückbare Konflikte zwischen Individuum und Welt, seine „Nibelungen"-Trilogie avancierte zum deutschen Nationaldrama der Kaiserzeit. Das Museum dokumentiert auch, wie einer aus Wesselburen nach Wien kam. Die Näherin Elise Lensing, die ihr Herz an den acht Jahre jüngeren, mittellosen Schriftsteller (22) verlor, finanzierte das Studium Hebbels, dessen Frauenemanzipations-Tragödie „Judith" 1840 in Berlin so erfolgreich uraufgeführt wurde, dass ihm der dänische König ein Stipendium gewährte. Der Dichter begab sich auf eine Bildungsreise, während Elise das zweite Kind gebar, und kehrte nie mehr zurück. 1846 heiratete er die Burgschauspielerin Christine Enghaus: Sie bot ihm dauerhaft materielle Sicherheit, und sie spielte die großen Frauengestalten seiner Dramen. Die Tragödie „Herodes und Mariamne" (1849) thematisiert die Ehe. Die Tragödie „Agnes Bernauer" (1852) stellt den Konflikt zwischen Staatsräson und individuellem Glück dar.

Eidersperrwerk bei auflaufendem Wasser.

Eidersperrwerk 04

Das Eidersperrwerk an der Mündung der Eider bei Tön-

ning ist das größte deutsche Sturmflutsperrwerk und ein viel besuchtes Ausflugsziel am Rand des Wattenmeer-Nationalparks, die Schlussszene des Films „Der amerikanische Freund" (1977) von Wim Wenders machte es einem großen Publikum bekannt. Nach fast sechs Jahren Bauzeit wurde der als Superlativ deutscher Ingenieurskunst gefeierte Sturmflutschutz 1973 als damals größtes Küstenschutzbauwerk Europas eingeweiht. Der 4,8 km lange und 8,50 m hohe Eiderdamm im Mündungstrichter zwischen Dithmarschen und der Halbinsel Eiderstedt schützt das Hinterland vor Überschwemmungen. Um doppelte Deichsicherheit zu gewährleisten, besteht das Sperrwerk aus zwei Reihen mit jeweils fünf Toren. Zwischen den Toren führt eine Straße durch einen 236 m langen Tunnel, der Fußweg über dem Tunnel bietet Blick auf das Wattenmeer und das Nordseeheilbad Sankt Peter-Ording sowie landeinwärts auf das als Naturschutzgebiet ausgewiesene bzw. landwirtschaftlich genutzte ehemalige Katinger Watt mit der durch Wander- und Radwege erschlossenen Grünen Insel. Vom Fischereihafen am Sperrwerk werden die Tönninger Fischkutter sowie Helgoland-Ausflugsschiffe durch eine Kammerschleuse in die Nordsee geschleust.
Die Erfahrungen während der Februar-Sturmflut 1962, als das Nordsee-Hochwasser durch die Mündung des längsten Flusses von Schleswig-Holstein weit ins Landesinnere vordrang, gaben den Ausschlag für die Errichtung des Sperrwerks. Es bestand die Generalprobe bei der großen Sturmflut vom 3. Januar 1976: Der „Blanke Hans" blieb draußen.

Katinger Watt 06
Der Naturerlebnisraum Katinger Watt nördlich des Eidersperrwerks verbindet Naturschutz, Vogelbeobachtung und naturnahes Wandern, für Fahrräder sind die nicht asphaltierten Wege bedingt geeignet. Feuchtbiotope wechseln mit aussichtsreichem Wiesenland, Vogelbeobachtungsständen und urtümlich wirkenden Wäldern, die sich nach der Eröffnung des Sperrwerks 1973 auf dem ehemaligen Wattenmeerboden im Mündungsbereich der Eider, Schleswig-Holsteins größtem Fluss, entwickelt haben.
Das Naturzentrum Katinger Watt, Katingsiel 14, beheimatet eine Ausstellung zu Tieren, Pflanzen und Geschichte und veranstaltet geführte Exkursionen. Der Deich oberhalb des Naturzentrums bietet einen exzellenten Blick auf das Naturinformationsareal vor dem Eidersperrwerk. An der aussichtsreichen Deichstelle oberhalb des Naturzentrums beginnt an der Schwingpforte im Schafweidezaun der Pfad zum Vogelbeobachtungsposten vor dem Ringtief im Naturschutzgebiet Katinger Watt. Der Zugang zu den dort errichteten beiden Vogelbeobachtungshütten erfolgt zwischen Wällen, damit die Vögel ungestört bleiben; dies ermöglicht in den Hütten eine nahezu „hautnahe" Beobachtung der Vogelwelt.

Auf der Krone des Deichs führt ein schmaler Fahrweg zur fast 300 Jahre alten **Schankwirtschaft Andresen**. Das unter Denkmalschutz stehende Gebäude wurde im 18. Jh. errichtet und ist film- und fernsehbekannt, die Inneneinrichtung stammt in vielen Details aus dem 19. Jh., als die Schankwirtschaft eine Hafengaststätte an einem kleinen Seehafen an der Eider war. Kuchen und Torten u. a. hausgemachte Regionalprodukte haben einen derartigen Ruf, dass sie auch an Hotels geliefert werden, legendär ist der „Eiergrog", der zum selbst gebackenen Kuchen serviert wird.

Sankt Peter-Ording 09
Das größte deutsche Nordseebad wartet mit einem fast 13 km langen und bis zu 1 km breiten Sandstrand auf, seit 100 Jahren stehen auf diesem festen Sandstrand Deutschlands einzige Pfahlbauten der Neuzeit:

Auf Stelzen errichtete „Giftbuden", vor den Wellen geschützte Hochrestaurants, in denen es zu Essen und zu Trinken „gift" (gibt) mit einmaligem Nordseepanorama.

Pfahlbauten 1911 errichtete der Bäckermeister Max Ranft am Ordinger Strand den ersten Pfahlbau, die Erfrischungshalle „Giftbude" (in der es etwas Gutes „gibt"), heute hat das Nordseebad mehr als ein Dutzend dieser langbeinigen „Pfahlbauten", die einzigartig in Deutschland sind, mit ihren vielen Pfählen dem blanken Hans trotzen und nur bei Sturmfluten nicht erreichbar sind. Die großen werden als Panorama-Restaurants genutzt, die kleinen sind DLRG-Wachstationen, viele Strandwanderer und Radler lassen den Tag in einem der Pfahlbau-Restaurants mit Sonnenuntergangsblick ausklingen.

Nordsee-Fitness-Park Der Nordsee-Fitness-Park in den Wäldern parallel zum Seedeich ist ein Verbundsystem 50 km ausgeschilderter Routen für Wanderer, Jogger, Spaziergänger und Nordic Walker. Die Routen ziehen sich durch alle vier Ortsteile von St. Peter-Ording, die Einsteigertour ist 1,2 km kurz, die längste eine 14 km lange Ausdauertour, auf der alle Facetten der vielgestaltigen Natur begegnen: Wald, Dünen, Salzwiesen, Strand.

Pfahlbaurestaurant am Strand von Sankt Peter-Ording.

Klettergarten In St. Peter-Ording befindet sich Nordfrieslands erster Klettergarten. Der Takelage-Natur-Garten TaNaGa ist ein Hindernis-Parcours in natürlicher Waldumgebung in unmittelbarer Nähe der Nordsee. Die 20 Balance-, Kletter- und Logikelemente verteilen sich auf bodennahe 40 cm ebenso wie auf High Ropes in 7 m Höhe.

Hochseilgarten Sankt Peter-Ording, Dorfstraße 13, 25826 Sankt Peter-Ording, www.tanaga.de

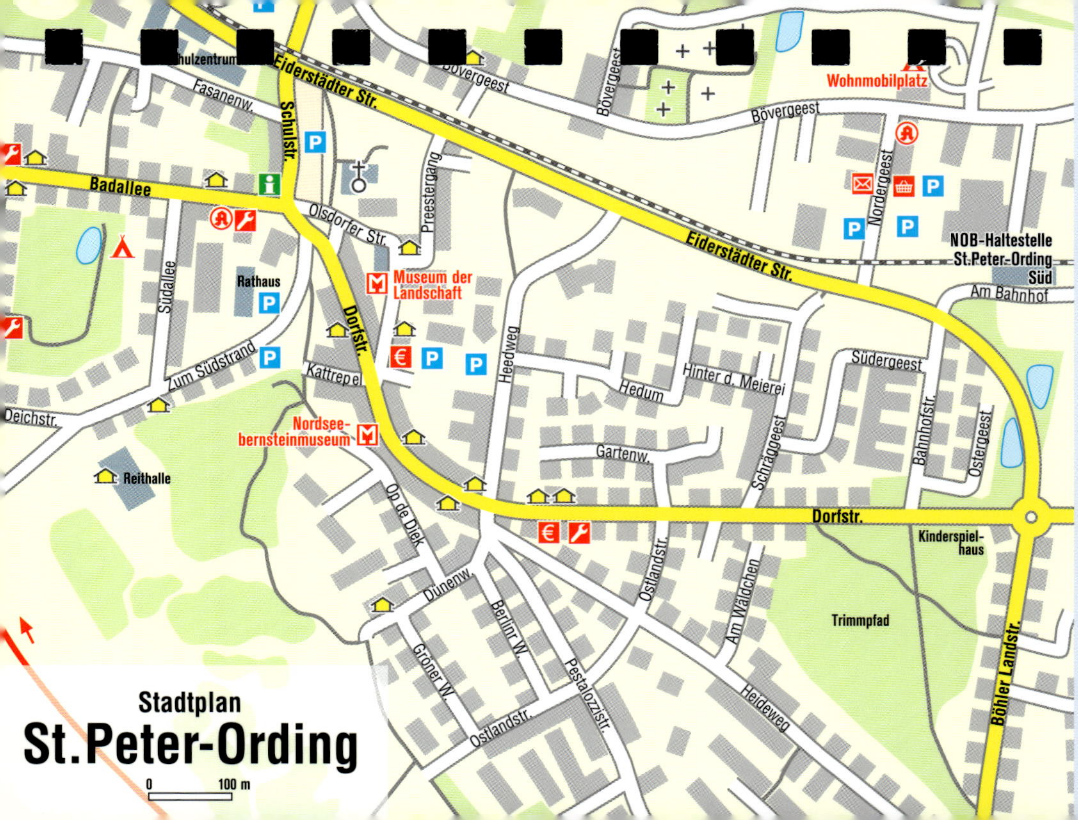

Maleens Knoll Maleens Knoll, die höchste Düne von Sankt Peter, ist nach einer jungen Frau benannt, die mit einem Seemann verlobt war. Vor der Hochzeit wollte der Verlobte eine letzte Reise unternehmen, um genügend Geld für den Ehestand zu verdienen. Maleen wartete, und als ein Jahr um war, ging sie jeden Abend auf die Düne, um Ausschau zu halten. Sie nahm ihr Spinnrad mit und spann Wolle, wenn die Nacht fiel, zündete sie eine Laterne an, um ihrem Verlobten den Weg auf dem Meer zu weisen. Jahre gingen ins Land, und als eines Nachts das Licht nicht brannte, sahen die Bewohner von Sankt Peter am nächsten Morgen nach und fanden Maleen tot an ihrem Spinnrad. Wenig später wurde ein Seemann aus dem Wasser gezogen. Als die Bewohner von Sankt Peter sahen, dass er den gleichen Ring wie Maleen trug, beerdigten sie ihn neben Maleen. Seit diesen Tagen heißt die höchste Düne von Sankt Peter „Maleens Knoll".
Detlev von Liliencron hat die Geschichte in seiner Ballade „Die Spinnerin von Sanct Peter" in Verse gefasst.

Tourismusinformation siehe ab S. 144
Übernachtungsverzeichnis siehe ab S. 146

Etappe 04 Sankt Peter-Ording – Garding – Husum

Über die Halbinsel Eiderstedt in die bunte Stadt am Meer

48 km | 4:00 Std. | 5 hm | 4 hm

GPS-Koordinaten / Start
UTM x: 474.190 m
Zone 00 y: 6.018.570 m

Startort: Sankt Peter-Ording, 4 m; Parkmöglichkeiten im Parkhaus an der Zufahrtsstraße „Im Bad“ sowie direkt an der Dünen-Therme. Der Endbahnhof liegt 1 Fahrradminute entfernt.

Start: Dünen-Therme Sankt Peter-Ording, Maleens Knoll 2 im Ortsteil Bad. Anfahrt Verkehrsleitsystem Richtung „Ortsteil Bad (Kurzentrum)“.

Ziel: Husum, 5 m

Charakter: Leichte Fahrt, überwiegend asphaltierte, teils geschotterte, teils naturbelassene Wege.

Verkehr: Auf der Hauptroute Landwirtschaftswege und Nebenstraßen; wer dem Deich folgt, ist fast durchgehend autofrei unterwegs.

Tipp: Bahnverbindung der wichtigen Orte zwischen Husum und Sankt Peter-Ording Bad im Stundentakt, sodass die Rückkehr zum Ausgangspunkt problemlos möglich ist.

Ausflugsziele / Sehenswürdigkeiten & Einkehrtipps siehe S. 100–103

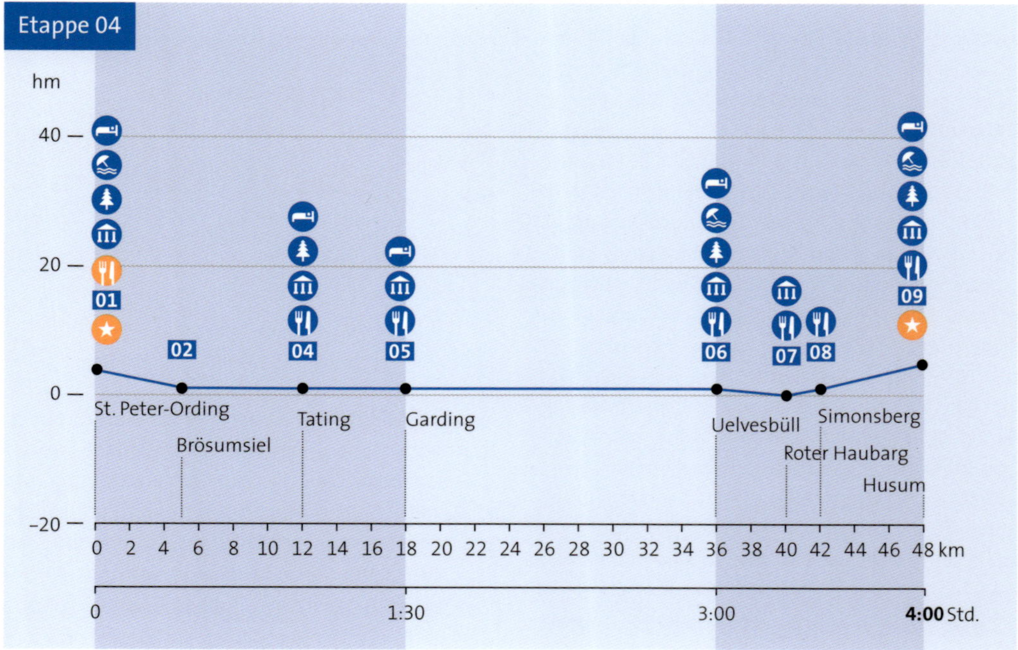

Von den Sandstränden des größten deutschen Nordseeheilbads führt der Nordseeküsten-Radweg über die Halbinsel Eiderstedt, deren Wahrzeichen der Westerhever Leuchtturm am Nationalpark Niedersächsisches Wattenmeer ist. Ziel ist die Storm-Stadt Husum.

St.Peter-Ording – Garding / 18 km / 1:30 Std.

Start Vor der Dünen-Therme des Nordseebads **Sankt Peter-Ording** 01 befindet sich an der Seebrücke der Einstieg in den Nordseeküsten-Radweg, der autofrei nordwärts führt. Der erste Strandabgang führt zum Pfahlbau-Restaurant Strandbar 54° Nord, Fußgänger und Radler haben bei den Zuwegen zu den Stränden und als Pfahlbauten errichteten Strandcafés eigene „Stege" („Fußgängersteg/ Fahrradsteg"). Der nächste Strandabgang führt zum Pfahlbau-Strandcafé Silbermöwe am Ordinger Strand; auf der 7 m hohen Panoramaterrasse am Rand des Rochelsandes kann man sich zum nächsten leichten Frühstück niedersetzen. Am Ansatz des Strandabgangs knickt der Seedeich ostwärts und gleich wieder links, bei den Sanitäranlagen an der Ordinger Deichüberfahrt am Ende der Utholmer Straße befinden sich große Parkplätze; sie bleiben meist unbenutzt, da man hier bis zur „Silbermöwe" bzw. zum FKK-

Blick zum Westerhever Leuchtturm.

Halbinsel Eiderstedt

Die Halbinsel Eiderstedt im nordfriesischen Wattenmeer zwischen der Mündung der Eider und dem Heverstrom wartet mit kilometerlangen Sandstränden vor dem Westerhever Leuchtturm und vor dem Nordseeheilbad Sankt Peter-Ording, Deutschlands meistbesuchtem Seebad, auf. Reetgedeckte Haubarg-Gehöfte und 18 stattliche Kirchen zeugen vom Wohlstand der Marschbauern auf den von Schafen und Eiderstedter Ochsen beweideten Grünländern der weitläufigen Halbinsel, die ab dem 11. Jh. durch Deichbau aus den damals inselartigen „Dreilanden" Eiderstedt, Evershop und Utholm zusammenwuchs und 1489 endgültig landfest wurde. Die Geestinsel Utholm umfasste Tating mit Westerhever, Tönning war der Hauptort der Geestinsel Eiderstedt, Garding der Hauptort der Geestinsel Everschop.

Heverstrom: Der rund 30 m tiefe Heverstrom nördlich der Halbinsel Eiderstedt bildet zusammen mit dem von ihm abzweigenden Norderhever das größte Tidebecken des nordfriesischen Wattenmeeres. Der starke Gezeitenstrom entstand bei der Marcellusflut im Januar 1362, der Großen Mandränke, veränderte während der zweiten Großen Mandränke 1634 die Landschaft erneut und fließt heute nördlich der Halbinsel nach Husum und zurück; im Lauf der Geschichte hat er immer wieder die Inseln Pellworm und Nordstrand angegriffen. Der Heverstrom beginnt zwischen der Nordwestspitze Eiderstedts und der Insel Pellworm: Hier teilt sich das Seegatt Hever in den Richtung Husum fließenden Heverstrom und den zwischen Pellworm und Nordstrand durchstoßenden Norderhever (der sich früher nördlich von Nordstrand mit dem Heverstrom wieder vereinigte). Unter anderem um die Hever-Gezeitenströme zu bändigen, wurde der Damm von der Husumer Bucht nach Nordstrand errichtet.

Bereich auf den Strand fahren kann. An der Nordwestecke des Seedeichs lädt die Ordinger „Deichschänke“ zur Einkehr ein; dass der Deich nicht grasbewachsen, sondern geteert ist und entsprechend unansehnlich wirkt, hängt mit dem fehlenden Schlick im Untergrund zusammen. Der nördlichste Strandabgang befindet sich am Parkplatz Hungerhamm. Sehen Sie den Westerhever Leuchtturm? Er ist das Wahrzeichen der Halbinsel Eiderstedt.

Wo aus dem Teerdeich wieder ein grüner Seedeich mit einem Asphaltweg außendeichs wird, ist die Tümlauer Bucht erreicht, und auf dem Außendeichsweg könnte man direkt zum Westerhever Leuchtturm radeln – ohne jedweden Autokontakt. Bei gutem Wetter folgen die Räder wie von selbst dem Seedeich zum **Westerhever Leuchtturm**! Der Nordseeküsten-Radweg hingegen verzichtet auf diese herrliche Küstenfahrt (auch die Weiterfahrt vom Westerhever Leucht-

Blick von Stufhusen zur Insel Pellworm.

Etappe 04
92
90
U t h o l m
Westerhever
Westerhever
Leuchtturm
03
Schafsburg
Wattwanderungen
Tümlauer
Bucht
O r d i n g e r P r i e l

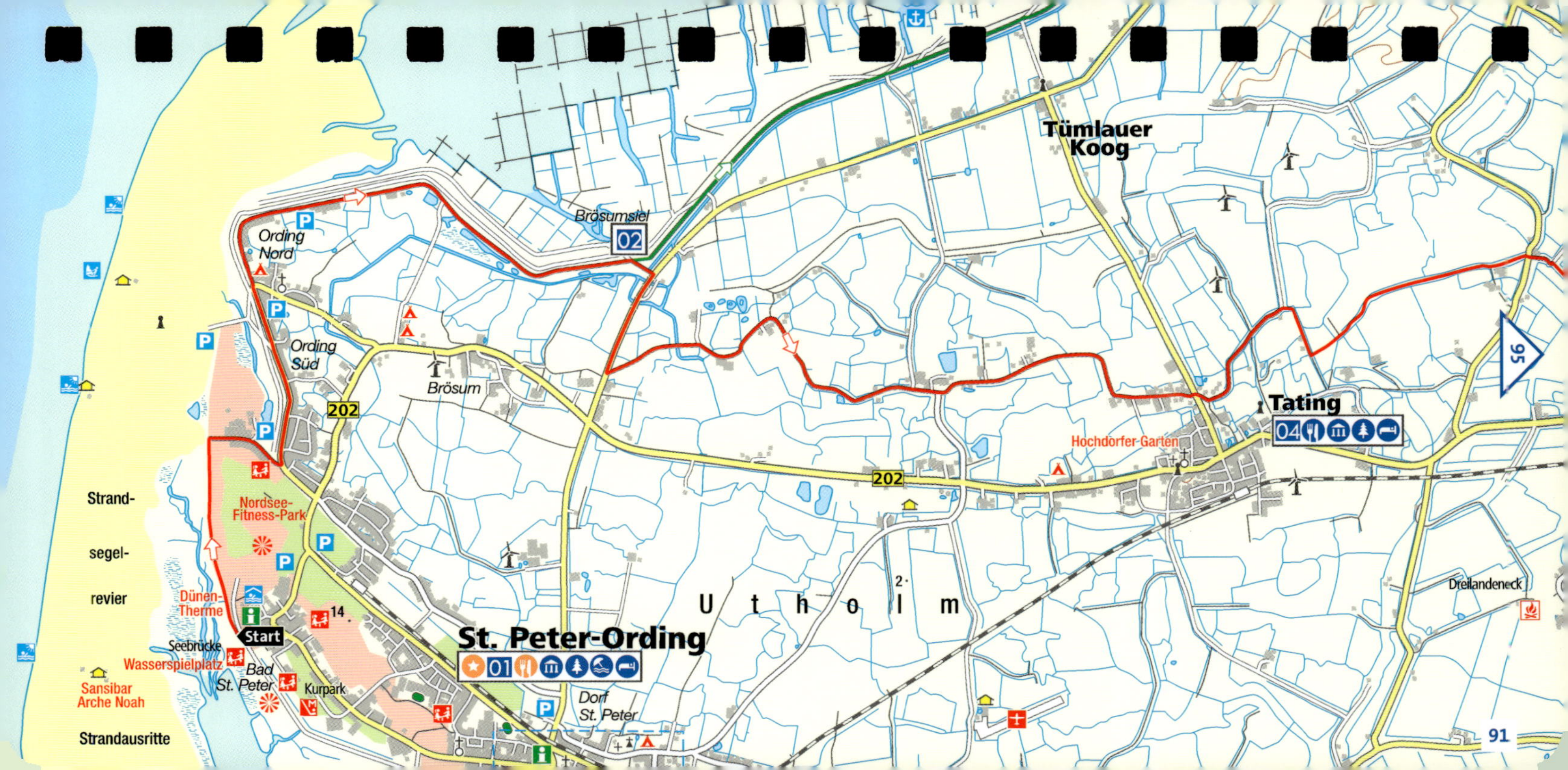

Tümlauer Koog
Brösumsiel
02
Ording Nord
Ording Süd
Brösum
202
Tating
04
Hochdorfer Garten
95
Strand-
segel-
revier
Nordsee-Fitness-Park
Dünen-Therme
14
Start
Seebrücke
Wasserspielplatz
Bad St. Peter
Kurpark
Sansibar
Arche Noah
Strandausritte
St. Peter-Ording
01
Dorf St. Peter
U t h o l m
Dreilandeneck

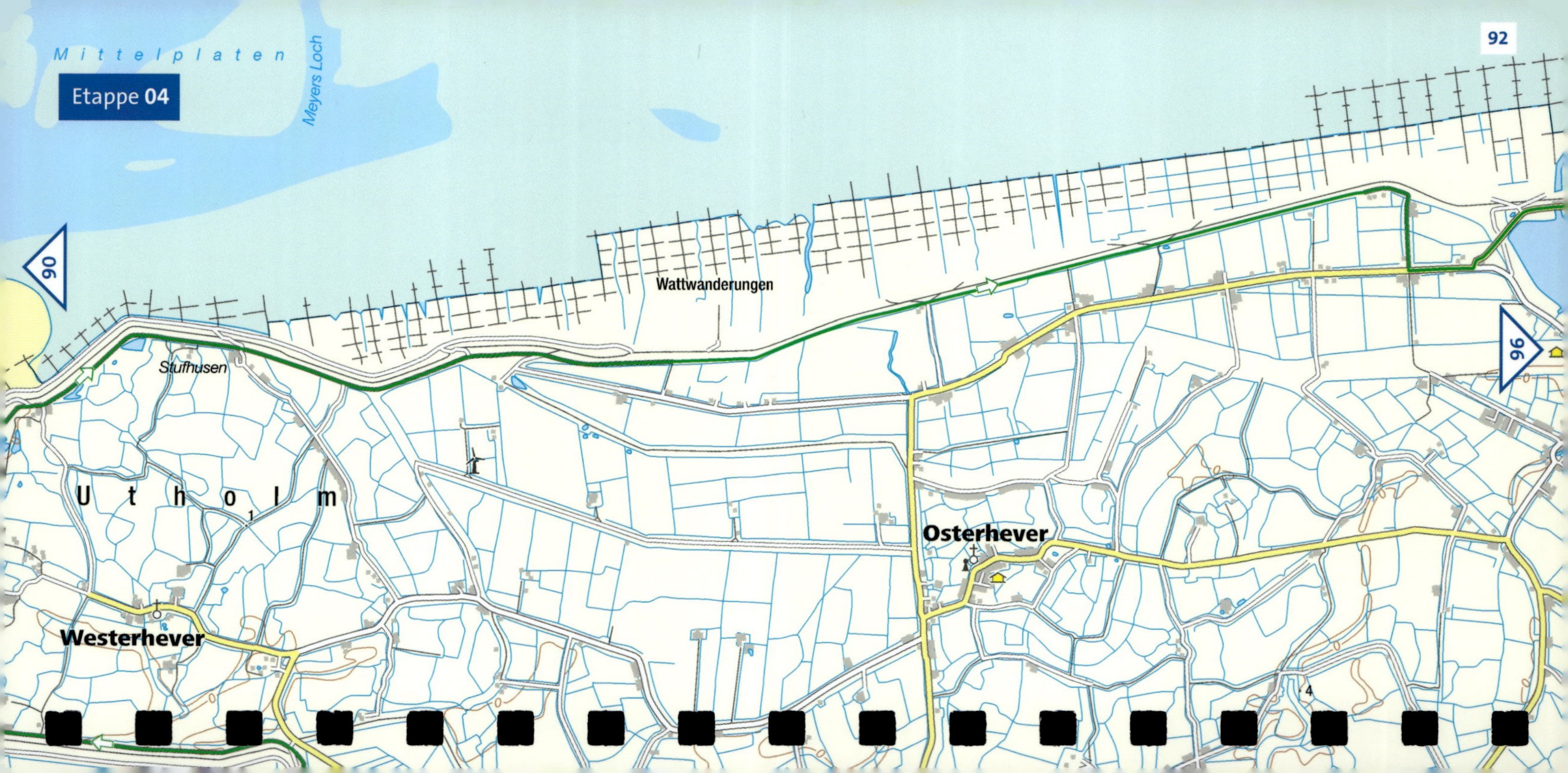
Mittelplaten
Etappe 04
Meyers Loch
90
Wattwanderungen
Stufhusen
96
U t h o l m
1
Osterhever
Westerhever
4

turm längs des Seedeichs ist ein absolutes Highlight – siehe grün gezeichnete Variante in der Karte!). Die entscheidende Verzweigung ist **Brösumsiel** 02: Hier kann man nach links fahren, in Richtung **Eiderstedt/Westerhever Leuchtturm** 03, während der Nordseeküsten-Radweg der Kreisstraße Tümlauer Chaussee südwärts folgt und die erste links (Koogsweg) am Friesendorf **Tating** 04 vorbei in den Luftkurort **Garding** 05 führt.

Garding – Uelvesbüll / 18 km / 1:30 Std.

Von Garding geht es weiter durch das Marschenland bis auf Höhe des Kirchdorfs Katharinenheerd (Bahnhof), dort links Richtung Tetenbüll, die erste rechts und ohne weitere Ortsberührung, jedoch mit Blick auf Kotzenbüll und Oldenswort nach **Uelvesbüll** 06, wo der Nordseeküsten-Radweg vorübergehend wieder die Küste erreicht.

Theodor Storm – Der Schimmelreiter

Theodor Storm (1817–1888) sah sich vor allem als Lyriker. In der Nachfolge Eichendorffs, Heinrich Heines und Eduard Mörikes entstand eine liedhafte Erlebnislyrik, in der er Familie, Liebe und die heimatliche Umwelt zum Thema machte. Auch bei den Novellen herrscht zunächst ein lyrisch-stimmungsvoller Ton, so in „Immensee" (1849) oder in „Pole Poppenspäler" (1875). In den sog. Chroniknovellen („Aquis submersus", 1876, „Renate", 1878, „Der Schimmelreiter", 1888) verlegte Storm das Geschehen in eine historische Vergangenheit, ohne auf aktuelle Zeitbezüge zu verzichten.

Die auf einer Sage basierende Novelle „Der Schimmelreiter" ist sein bekanntestes Erzählwerk. Der Aufstieg von Hauke Haien vom Knecht zum Deichgrafen in einer Welt voller Missgunst vollzieht sich beinahe romanhaft. Den edlen, von den Koogbauern als unheimlich wahrgenommenen Schimmel, den er reitet, hat er krank und heruntergekommen einem Durchreisenden abgekauft und herausgefüttert. Gegen viele Widerstände setzt er den Bau eines neuen Seedeichs nach eigenen Plänen vor der alten Deichlinie durch, wodurch ein neuer Koog entsteht, der Hauke-Haien-Koog. Hauke Haiens neuer Deich trotzt einer Jahrhundertsturmflut, doch die in die Jahre gekommenen alten Deichabschnitte brechen, und Hauke muss miterleben, wie die Wassermassen seine Frau und sein Kind, die sich voller Angst auf die Suche nach ihm aufgemacht haben, mit sich fortreißen. Hauke Haien reitet in die tosenden Fluten: „Herr, Gott, nimm mich, verschon' die anderen!" Die Sage lässt den Deichgrafen als gespenstischen Schimmelreiter umgehen.

Uelvesbüll, Blick in die Husumer Bucht.

Haubarge

heißen die historischen Bauernpaläste auf der Halbinsel Eiderstedt. Sie entwickelten sich aus Gebäuden, die zum „Bergen von Heu“ auf sturmflutsicheren Warften/Wurten errichtet wurden, beherbergten wie die ostfriesischen Gulfhöfe Mensch und Vieh und wandelten sich mehr und mehr zu Repräsentationsbauten, deren Unterhalt meist die Wirtschaftlichkeit sprengte: 1860 gab es noch 360, heute ca. 70. Der weiß verputzte **Rote Haubarg** 07 am Sandberg in Witzwort („Widos Wurt“) wurde ab 1647 errichtet und beherbergt ein Restaurant sowie den landwirtschaftlichen Teil des Eiderstedter Heimatmuseums. Der ab 1764 angelegte Barockgarten des Hochdorfer Haubargs in Tating ist eine der bedeutendsten historischen Gartenanlagen Nordfrieslands. Mehrere Haubarge auf Eiderstedt werden als Ferienhäuser bzw. -wohnungen vermietet.

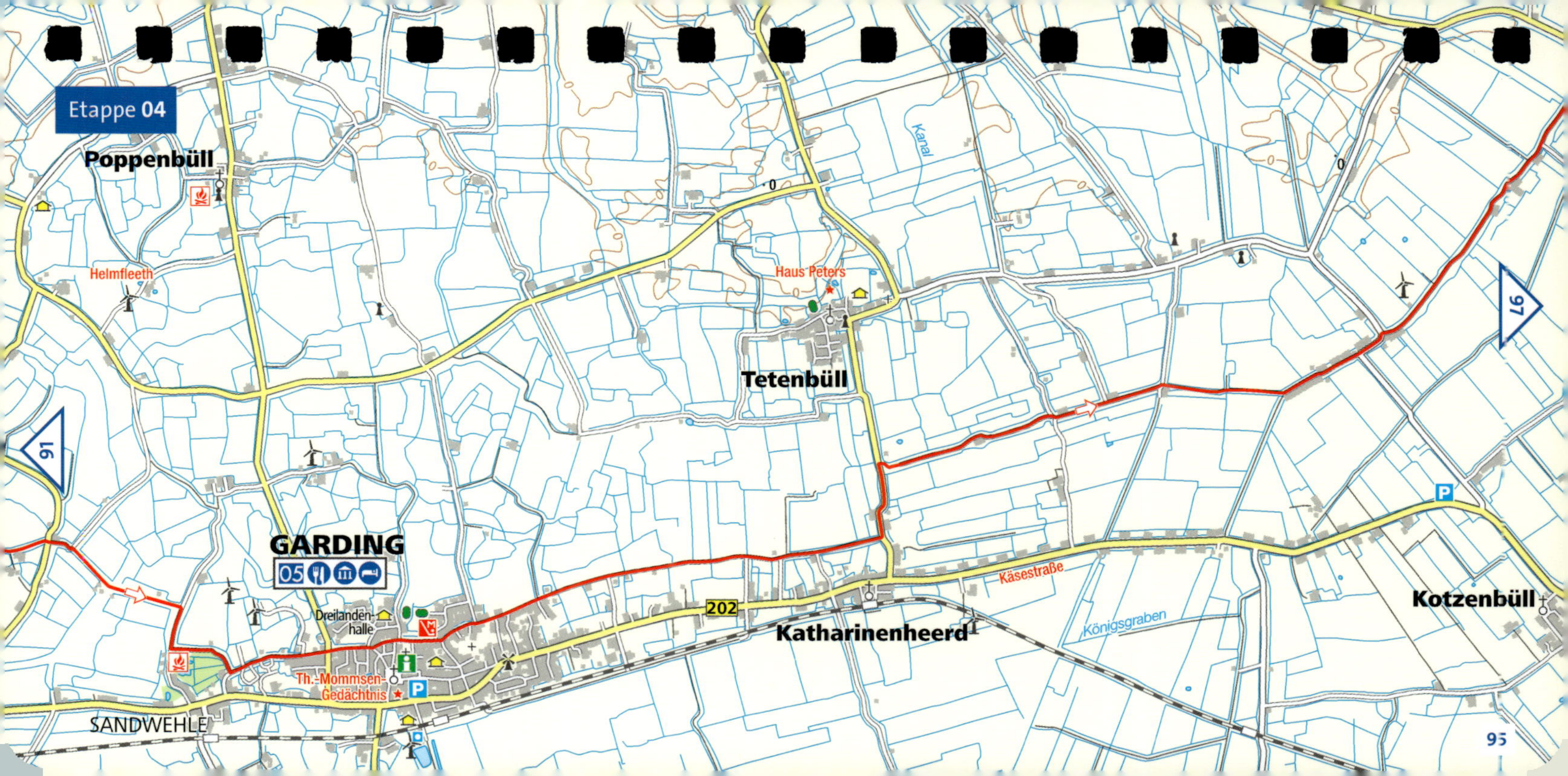

Etappe 04
Poppenbüll
Helmfleeth
Kanal
Haus Peters
Tetenbüll
97
91
GARDING
05
Dreilanden-
halle
Th.-Mommsen-
Gedächtnis
SANDWEHLE
202
Käsestraße
Katharinenheerd
Königsgraben
Kotzenbüll

Etappe 04
Heverstrom
Tetenbüllspieker Loch
Wattwanderungen
Windpark
Uelvesbüll
06
99
07
Roter Haubarg
96
92
Norder-
friedrichskoog
Witzwort
Wasserkoog
Altneukooger Sielzug

Die Streusiedlung liegt an der Nordküste der Halbinsel Eiderstedt am Heverstrom. Zahlreiche Sturmfluten haben in der 800-jährigen Ortsgeschichte dafür gesorgt, dass sich das Landschaftsbild immer wieder verändert hat. Die Kirche wurde 1854 errichtet als Ersatz für einen Vorgängerbau aus dem Jahr 1300, der bei einer Sturmflut zerstört worden war. Mehrere tiefe Wehlen zeugen von den Sturmflutkatastrophen; Wehlen sind durch einen Deichbruch entstandene see- oder teichartige Wasserlöcher.

Uelvesbüll – Husum / 12 km / 1:00 Std.

Vom aussichtsreichen Seedeich geht es gleich wieder landeinwärts zum **Porrendeich** (Porren = Krabben), einem historischen Deich, auf dessen Krone eine der malerischsten Dorfstraßen Eiderstedts verläuft: Reetdachhaus reiht sich an Reetdachhaus, und an den Wehlen sitzen Angler. Die heutigen Angelteiche mit den reetgedeckten

Katen erinnern an die einstigen Deichbrüche und tosende Wassermassen. Auch manches Schiff ist hier gestrandet. 1994 wurde am Deich das „Wrack von Uelvesbüll“ entdeckt, ein Lastensegler aus dem 16. Jahrhundert; dieses „Zuckerschiff“ kann im Schifffahrtsmuseum Nordfriesland in Husum besichtigt werden. Der Porrendeich mündet in die Straße Am Sandberg, und dort zweigt links die Zufahrt zum **Roten Haubarg** 07 ab. Der größte Eiderstedter Haubarg beherbergt ein Restaurant und das Eiderstedter Heimatmuseum.

Wieder zurück an der Straße Am Sandberg, geht es nun links weiter auf dem Mühlendeich nach **Simonsberg** 08, hier rechts und anstatt autofrei längs des Seedeichs (Seebadestelle Lundenbergsand) auf der Landstraße ins nahe **Husum** 09, das aus dieser Perspektive einen besonders „malerischen“ Anblick bietet **Ziel**.

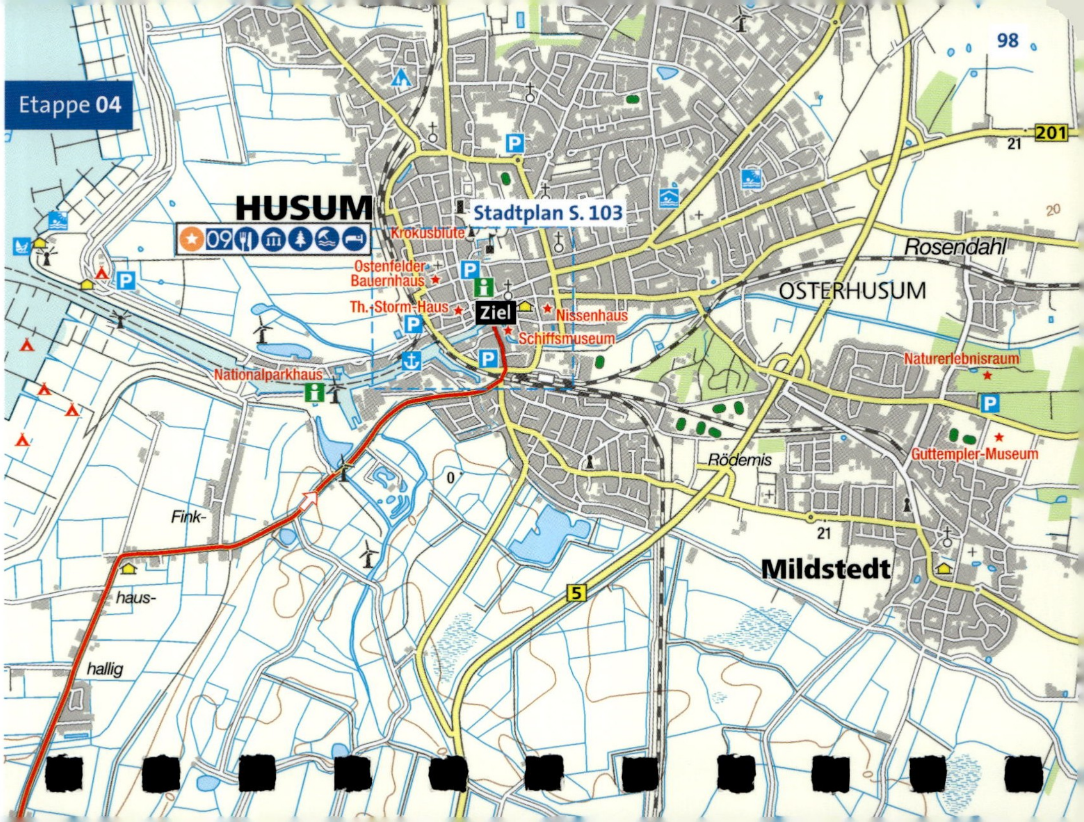

Camping bei Simonsberg.

AUSFLUGSZIELE / SEHENSWÜRDIGKEITEN & EINKEHRTIPPS

Eiderstedt/Westerhever Leuchtturm 03

Der rotweiße Westerhever Leuchtturm (1907) auf einer 4 m hohen Warf zwischen zwei Wärterhäuschen ist das Wahrzeichen der Halbinsel Eiderstedt und als Briefmarken- und Werbemotiv einer der bekanntesten Leuchttürme an der Nordsee. Vor dem Bau des Leuchtturms, der 1908 in Betrieb genommen wurde, wurden 127 Eichenpfähle in den Boden gerammt. 157 Stufen führen im Inneren des 37 m hohen Gusseisenturms zur Galerie unter der automatisch von Tönning aus gesteuerten Laterne mit Panorama der Halligen und Inseln sowie der Halbinsel Eiderstedt. Der Leuchtturm stammt aus einer Mehrfachproduktion der Isselburger Hütte im Münsterland und ist fast baugleich mit den Leuchttürmen von Pellworm und Hörnum auf Sylt.

Erstiegen werden kann der Leuchtturm von Ostern bis Oktober montags, mittwochs und samstags um 10, 11, 13, 14, 15 und 16 Uhr. Der Eintrittskarten-Verkauf befindet sich im Info-Hus am Leuchtturm-Parkplatz in Westerhever-Poppenbüll, Ahndelweg 4 .

Westerhever Leuchtturm.

Exkursionen: Die historischen Wärterhäuser beherbergen eine Naturschutzstation und ein Seminarhaus des Nationalparks Schleswig-Holsteinisches Wattenmeer. Die Schutzstation Wattenmeer veranstaltet Wattwanderungen, Salzwiesenführungen und Diavorträge.

Westerheversand: Der Westerheversand an der offenen Nordsee ist eines der größten Badeparadiese an der nordfriesischen Festlandsküste. Auf etwa 9 km Länge erstreckt sich dieser Hochsand zwischen der Tümlauer Bucht und dem Badestrand von Stufhusen;

mit letzterem kann er bei Niedrigwasser verbunden sein. Da der Westerheversand nur bei starken Sturmfluten überspült wird, bilden sich auf ihm Primärdünen und immer mehr Pflanzen siedeln sich an.

Tating 04

Im Friesendorf Tating steht die älteste Kirche auf Eiderstedt, ein Backsteinbau mit spätromanischem Chor. Der ab 1764 im französischen Stil angelegte Barockgarten des Hochdorfer Haubargs in Tating ist eine der bedeutendsten historischen Gartenanlagen Nordfrieslands.

Barockgarten Hauptelemente des 4 ha großen Parks sind ein Lindenparterre und zehn axial-symmetrisch auf die Hauptfront des Haubargs ausgerichtete Pflanzquartiere, die von mehr als 120 m langen Lindenalleen eingerahmt werden. Noch vor 1873 erfolgte der Bau des Schweizerhauses als Sommerhaus; ab dieser Zeit wurden im Garten auch exotische Gehölze angepflanzt. Ab 1886 wurde der Garten um mehrere Obstbaumquartiere nördlich und südlich des Barockgartens erweitert, hinzu kam die Anlage eines romantischen Landschaftsgarten im englischen Stil. Dazu gehört die um 1900 errichtete künstliche Ruine am südlichen Rand, die einem Gemälde Caspar David Friedrichs von der Burgruine des Oybin nachgebildet sein soll.

Garding 05

Die Stadt Garding, Geburtsort des ersten deutschen Literaturnobelpreisträgers Theodor Mommsen, ist Luftkurort auf einem Geestrücken im Zentrum der

Badestelle Stufhusen.

Halbinsel Eiderstedt. Seit dem Mittelalter besaß der Ort einen Hafen, der das Wirtschaftsleben bestimmte und das Stadtbild prägte; kurz vor dem Ersten Weltkrieg wurde er zugeschüttet.

Die **Altstadt** ist um die gotische **Hallenkirche** herum gruppiert, auf die die Straßen sternförmig zulaufen. Die Kirche steht auf einer elf Meter hohen Warft, der höchsten Erhebung Eiderstedts. Der Kirchturm ist der höchste Punkt Eiderstedts und war jahrhundertelang ein wichtiges Seezeichen. Mit ihrem gotischen Orgelprospekt von 1512 enthält die Kirche den ältesten Orgelprospekt Nordeuropas.

Am Platz neben der Kirche befinden sich das **Theodor-Mommsen-Museum**. Der Historiker Theodor Mommsen wurde am 30. November 1817 in Garding geboren († 1903, Charlottenburg bei Berlin). Er erhielt 1902 als erster Deutscher den Literaturnobelpreis als der „größte lebende Meister der historischen Darstellung". Das Geburtshaus beherbergt die Ausstellung „Theodor Mommsen Gedächtnis". Mommsen sah Geschichtsschreibung als künstlerisches Schaffen und versuchte Fachwissen mit Fantasie zu verbinden, um zwischen Wissenschaft und Dichtung zu vermitteln. Seine Geschichtsschreibung ist geprägt vom Kampf für demokratische Rechte und einen freiheitlichen deutschen Nationalstaat während des Vormärz in den 1840er Jahren. Den Nobelpreis erhielt er für sein Momumentalwerk „Römische Geschichte“ (1852–54, 1885).

Husum 09

Husum, die „graue Stadt am Meer“, mit Altstadt und Schlosspark, Nordseemuseum und Theodor-Storm-Haus ist Luftkurort an der Husumer Bucht.
Dank der malerischen Altstadt rund um Marktplatz, Schloss und Binnenhafen war Husum Schauplatz von mehr als einem Dutzend Kino- und Fernsehfilme, literarisch bekannt machte sie Husums berühmtester Sohn Theodor Storm als die „graue Stadt am Meer“. Jeden Donnerstagvormittag findet auf dem Marktplatz ein großer Wochenmarkt statt, auch andernorts ist in Husum fast das ganze Jahr über etwas zu erleben: im Frühjahr die Krokusblüte im Schlossgarten und das Krokusblütenfest, das Schimmelreiter-Turnier im Mai, die Kulturnacht und die Husumer Hafentage im Sommer, die Raritäten der Klaviermusik im August, die Pole-Poppenspäler-Tage im September, die Krabbentage und die Husumer Filmtage im Herbst sowie der Weihnachtsmarkt im Dezember.

Geboren wurde Storm 1817 im **Haus Nr. 9** am Marktplatz, wo jeder Stadtrundgang beginnt und endet zwischen alten Bürgerhäusern mit eindrucksvollen Giebelfronten, dem **Alten Rathaus** (1601) und der imposanten **Marienkirche**.

Die **Tine**, das heimliche Wahrzeichen Husums, steht auf dem Sockel des 1902 errichteten Marktbrunnens; der Husumer Bildhauer Adolf Brütt schuf die Bronzefigur einer junger Fischersfrau in Holzschuhen.

Wasserturm Der historische Husumer Wasserturm (1903) am Schlossgarten ist ein Wahrzeichen der Theodor-Storm-Stadt. 153 Stufen führen zur Aussichtsplattform, von der in 33 m Höhe der Blick über die Husumer Bucht und die Insel Nordstrand bis nach Pellworm schweift.

Tourismusinformation siehe ab S. 144
Übernachtungsverzeichnis siehe ab S. 146

Tine-Brunnen vor der Marienkirche in Husum.

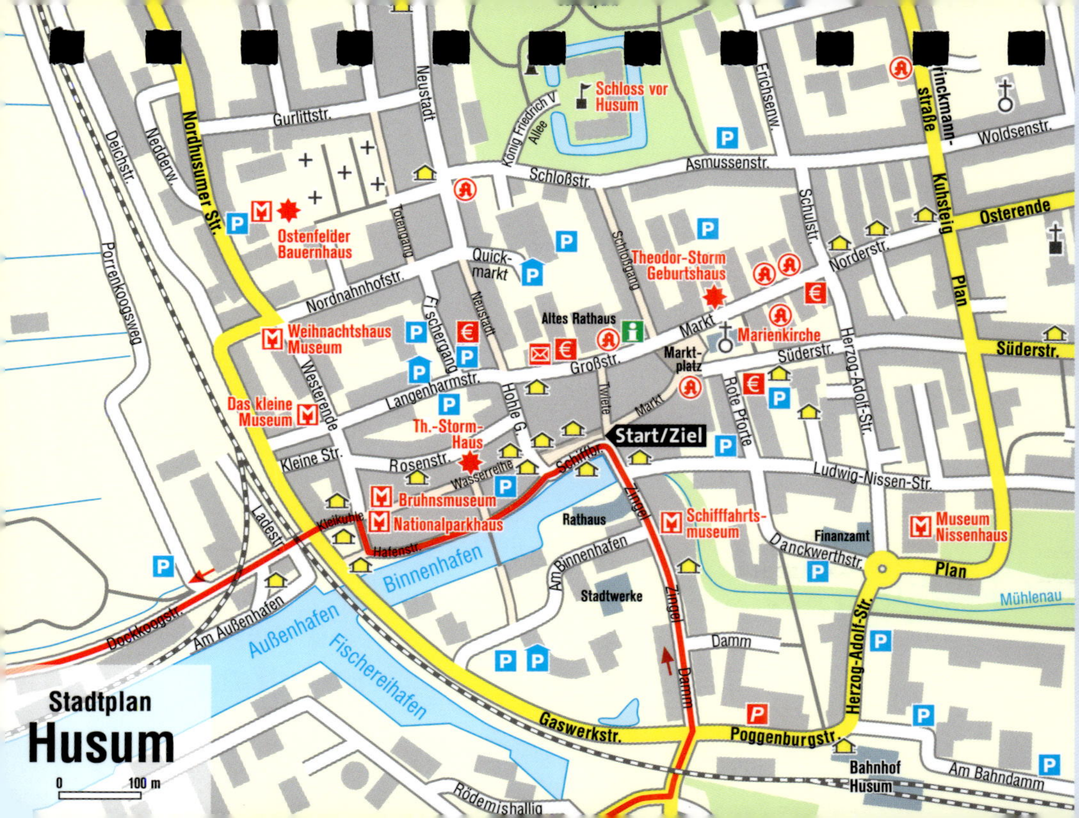

Husum, Storm-Museum an der Wasserreihe.

Etappe 05 **Husum – Nordstrand – Dagebüll**

Im Reich der Halligen und Inseln

60 km | 5:45 Std. | 9 hm | 13 hm

GPS-Koordinaten / Start
UTM Zone 32 x: 502.930 m y: 6.036.380 m

Startort: Husum, 5 m
Start: Husum, Hafenstraße am Binnenhafen
Ziel: Dagebüll, 1 m
Charakter: Leichte Fahrt auf überwiegend asphaltierten, teils auch geschotterten, teils naturbelassenen Wegen.
Verkehr: Auch auf dieser Etappe folgt der Nordseeküsten-Radweg fast durchgehend autofreien (Asphalt-)Wegen am Seedeich.

Tipp: Vom Bahnhof Dagebüll Mole ist die Rückkehr nach Husum mit einmal Umsteigen in Niebüll möglich.

Ausflugsziele / Sehenswürdigkeiten & Einkehrtipps siehe S. 122–125

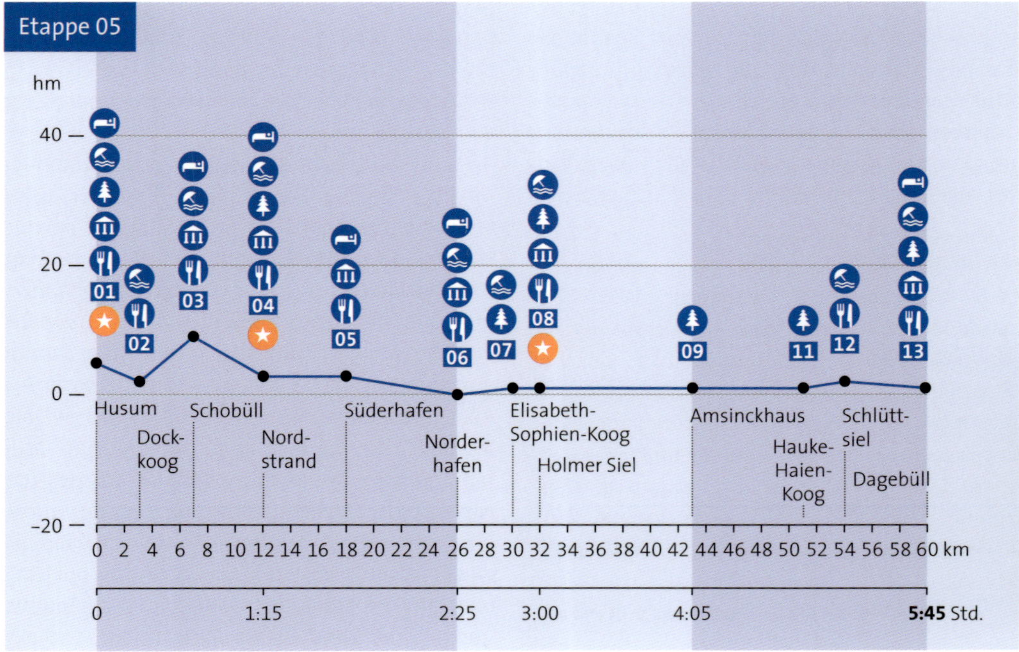

Auf dieser Highlight-Etappe bleibt der Nordseeküsten-Radweg durchgehend der namensgebenden Küste treu: Sie bildet das Finale des Nordseeküsten-Radwegs in Deutschland.

Auch die letzten gut 100 km ab der Nordfriesland-Hauptstadt Husum erfreuen mit einer Fülle an Badestränden und idyllischen Ortsbildern, hinzu kommt hier die Möglichkeit zu Abstechern auf die Nordfriesischen Inseln.

Binnenhafen von Husum, links das Nationalparkhaus.

Die erste dieser Inseln ist die Marschinsel Nordstrand, die durch einen Straßendamm mit dem Festland verbunden ist. Vom Nordstrander Hafen ist die westlich vorgelagerte Marschinsel Pellworm mit der Fähre erreichbar. Der Nordseeküsten-Radweg verlässt Nordstrand im Norden der Insel auf dem Deich via Holmer und Lüttmoor Siel, an der Kreuzung mit dem Lorendamm zur Hallig Nordstrandischmoor geradeaus und nun immer längs des Deichs zum Hafen Schlüttsiel vor dem Hauke-Haien-Koog und in den Fährhafen Dagebüll; im Hafen Schlüttsiel starten die Ausflugsschiffe zu den Halligen und nach Amrum, von der großen Mole in Dagebüll (Bahnanschluss nach Hamburg) bestehen regelmäßige Fährverbindungen zu den Inseln Föhr und Amrum.

Kurz hinter Dagebüll wendet sich die North Sea Cycle Route landeinwärts nach Niebüll, wo am Autozug-Terminal Hochbetrieb beim Verladen der Kraftfahrzeuge nach Sylt herrscht. Von hier sind es noch 20 km bis zur dänischen Grenze, kurz davor liegt in Seebüll ein Wallfahrtsort für Freunde von Emil Nolde. Hier, kurz vor der dänischen Grenze – Nolde stammte aus dem Amt Tønder –, winkelt der Nordseeküsten-Radweg wieder küstenwärts ab und führt zum Bahnhof von Klanxbüll.

Inseln und Halligen

Die **Nordfriesischen Inseln** sind die Inseln und Halligen im Nationalpark Schleswig-Holsteinisches Wattenmeer: die Geestkerninseln Sylt, Föhr und Amrum, die Marschinseln Pellworm und Nordstrand sowie die Halligen, die die Reste eines durch Sturmfluten zerschlagenen Marschlandes sind. Die Geest ist hoch und beeindruckt durch ein lebhaftes Relief mit Aussichtsdünen, Kliffs und kilometerlangen Stränden sowie durch Wälder wie auf Amrum; die Marsch ist flach und fruchtbar, wird landwirtschaftlich genutzt und benötigt, da sie durch jahrtausendelange natürliche Aufschlickung der Meeresablagerungen Millimeter um Millimeter entstanden ist, einen schützenden Seedeich, da sich die Nordsee das fruchtbare Land sonst zurückholt. Eine Sonderform der Marschinseln sind die Halligen: Sie haben nur einen niedrigen Sommerdeich, der die Hallig im Sommer vor Überflutung schützt, während es bei winterlichen Sturmfluten „Land unter" heißt und nur noch die Gehöfte auf den Kappen der Warften aus den Fluten schauen.

Husum – Norderhafen / 26 km / 2:25 Std.

Start Am Binnenhafen im Herzen von **Husum** **01** folgt der Nordseeküsten-Radweg der Hafenstraße westwärts, überquert die Durchgangsstraße und die Bahnlinie und folgt der Dockkoogstraße geradeaus zu Husums grünem Badestrand **Dockkoog** 02. Der Radweg folgt dem Deich aussichtsreich nordwärts, auf dem Außendeichsweg fällt der Blick über die Husumer Bucht hinweg zur Insel Nordstrand, auf der Landseite zeigen sich die Wälder des Schobüller Bergs, der der Grund dafür ist, dass es in seinem Vorfeld keinen hohen Seedeich geben muss. Der Radweg folgt dem Deichweg, links fällt der Blick über ausgedehnte Salzwiesen, dann ist der Luftkurort **Schobüll** 03, Ortsteil von Husum, erreicht, wo der Deichweg geradeaus in die Alte Dorfstraße übergeht. Das Besondere von Schobüll und der umliegenden Landschaft ist die Verbindung von Meer und Watt, Salzwiese und Marsch, Wald und Heide.

Die Alte Dorfstraße mündet in die Durchgangsstraße (Nordseestraße), der Radweg folgt ihr links weiter, wo auf Höhe des Campingplatzes

Das „Kirchlein am Meer" in Schobüll.

Etappe 05
Arlauschleuse
Naturschutzstation
Jelstrom-
schleuse
Holmer See
Hattstedter-
marsch
Wobbenbüll
Hattstedt
Horstedt
Mekelberg
22
31
Pohns-
hallig-
SCHOBÜLL
03
17
Standort-
übungspl.

hallig-
koog
SCHOBÜLL
03
31
17
Standort-
übungspl.
Lund
M e t t g r u n d
Modersloch
02
Dockkoog
Seehundbeobachtung
HUSUM
01
Stadtplan S. 103
Krokusblüte
Ostenfelder
Bauernhaus
Th.-Storm-Haus
Start
Nissenhaus
Schiffsmuseum
Nationalparkhaus
L u n d e n b e r g e r
S a n d
Süderhafen
05
113

Abstecher: Insel Pellworm

Das Nordseeheilbad Pellworm ist die drittgrößte Nordfriesische Insel und, wie manche meinen, die ruhigste: Der (Massen-)Tourismus spielt noch keine Rolle auf der grünen Insel zwischen Ebbe und Flut. Der Marschboden liegt durchschnittlich 1 m unter NN, weshalb ein 8 m hoher Seedeich die Insel auf 25 km vor Sturmfluten schützt. Die Deichlänge verdeutlicht die Größe der Insel. – Die **Fähren** der Neuen Pellwormer Dampfschifffahrts GmbH (NPDG) fahren von Strucklahnungshörn auf der Insel Nordstrand (Anleger: Nordstrand, Hörnstraße 1) in 35 Min. zum Tiefwasseranleger vor Pellworm; bei Ankunft der Fähre steht der Bus zur Weiterfahrt nach Tammensiel und zu den Inselorten bereit, die Fährüberfahrt dauert ca. 35 Min. Sollte eine Fähre als „belegt" gekennzeichnet sein, gilt dies nur für Kfz.

Der tideabhängige alte Hafen von **Tammensiel** ist der Heimathafen der Pellwormer Fischkutter und das Ziel der die Insel anlaufenden Sportboote. Um der Fährschifffahrt einen tideunabhängigen Fahrplan zu ermöglichen, wurde 1992 der Tiefwasseranleger errichtet; er liegt 2 km vor der Insel am Norderhever Strom und ermöglicht den Fährverkehr von der Nachbarinsel Nordstrand unabhängig von den Gezeiten. Am alten Hafen befindet sich auch ein kleines Schifffahrtsmuseum mit Exponaten aus der Schifffahrt und der Seenotrettung. Tammensiel ist die „City" von Pellworm, verfügt über die meisten Geschäfte und den einzigen Andenkenladen der Insel.

Das Gebäude des **Kur- und Tourismusservice** mit dem **Inselmuseum** befindet sich in Tammensiel (Uthlandestr. 2) auf der historischen Schulwarft der einstigen Sielschule. Ein rot geklinkerter Weg führt zum damaligen Wohnhaus des Schulmeisters, das alle Elemente eines Friesenhauses aufweist: Reetdach, Rotklinker, weiße Holzsprossenfenster und eine rosengerahmte Eingangstür.

Der **Leuchtturm** mit zweifacher Galerie ist mit 41,5 m das höchste Bauwerk auf der Insel Pellworm. Er ruht auf 127 Eichenpfählen, die 1906/07 bis zu 14 m tief in den Marschboden gerammt wurden. 1988 eröffnete im Leuchtturm, der weiterhin als Leitfeuer fungiert, das erste Standesamt in „dünner Luft": Mehr als 3.000 Paare sind hier seither mit Insel- und Halligblick in den Hafen der Ehe gesegelt. – Die **Alte Kirche** an der Westküste von Pellworm ist seit dem Mittelalter das Wahrzeichen der Insel. Der Backsteinbau wurde um 1200 errichtet und diente jahrhundertelang als Seezeichen, bis 1907 der Pellwormer Leuchtturm eingeweiht wurde. Der ursprünglich 52 m hohe Westturm stürzte 1611 teilweise ein, heute ist er noch 26 m hoch und fungiert als Nistplatz von Turmfalken u. a. Vögeln. Der frei stehende Glockenturm östlich der Kirche wurde aus Baumstämmen gezimmert. Die Kirchenorgel schuf 1710/11 Arp Schnitker. In den Sommermonaten finden in der Alten Kirche Orgelkonzerte statt.

„Seeblick" rechts das gotische Kirchlein am Meer steht; das Gotteshaus bildet den Rahmen für die „Meisterkonzerte im Kirchlein am Meer". Die Durchgangsstraße gibt nun die Route vor nach **Wobbenbüll**, wo der Wechsel auf den aussichtsreichen Fahrdamm zur Insel **Nordstrand** 04 erfolgt. Vom inselseitigen Ansatz des Nordstrander Damms führt der grüne Seedeich links am Pohnshalligkoog entlang, dem jüngsten bewohnten Koog von Nordstrand.

Die ausgedehnten Salzwiesenvorländer zwischen dem Nordstrander Damm und dem Bauhof sind wichtige Brut- und Rastgebiete für verschiedene Seevögel: Warnschilder machen darauf aufmerksam, dass man in diesem Bereich ganzjährig den Weg binnendeichs benutzen muss. Nach schöner, autofreier Deichfahrt erreicht der Nordseeküsten-Radweg am Silo den Yachthafen von **Süderhafen** 05, wo schon von weitem die Engel-Mühle aus dem Jahr 1889 grüßt; sie beherbergt Bäckerei, Café und Mühlenmuseum. Der Süderhafen auf der Ostseite von Nordstrand war ein wichtiger Frachthafen der Insel, Bau- und Brennstoffe sowie die Ernte der Nordstrander Felder wurden nach Husum verschifft. Zeitweise gab es sogar eine kleine Lorenbahn, die Ziegel aus der Ziegelei – heute befindet sich auf dem Gelände die Süderhafen Töpferei – zum Hafen brachte. 1963 wurde der Hafen ausgebaut und erhielt das Getreidesilo, das zum optischen Erkennungs-

Pharisäer – Heißgetränk mit Rum

Im Elisabeth-Sophien-Koog auf Nordstrand wurde der Überlieferung zufolge der Pharisäer erfunden, ein Heißgetränk aus Kaffee mit Rum und Schlagsahne. Als im 19. Jh. der sittenstrenge Pastor Georg Bleyer auf der Insel wirkte, kredenzten die Nordfriesen dem Gottesmann anlässlich einer Kindstaufe Kaffee mit Schlagsahne, sich selbst kippten sie Rum in den Kaffee. Zwar verhinderte das Sahnehäubchen, dass sich der Rumgeruch bemerkbar machte, doch an der zunehmenden Ausgelassenheit der Gäste ahnte der asketische Pastor, dass der Teufel seine Hand im Spiel hatte. Als er den Schwindel entdeckte, rief er entrüstet aus: „Oh, ihr Pharisäer!" So entstand der Name des nordfriesischen „Nationalgetränks". – Die Wirtin Annkathrin Nommensen, die von 1893 bis 1917 der Koogwirtschaft waltete, verstand es besonders gut, den Pharisäer zuzubereiten. Zu ihrer Zeit wurde die Gastwirtschaft der Gemeinde Elisabeth-Sophien-Koog immer mehr „Pharisäerkrug" genannt. Der Pharisäerkrug brannte nach einem Blitzschlag, bei dem es sich möglicherweise um ein göttliches Strafgericht handelte, 1945 ab und wurde nicht wieder aufgebaut. Das Rezept hatte sich längst herumgesprochen, so dass man auch auf dem Festland einen anständigen Pharisäer bekommt.

Etappe 05
Norderplate
115
112
Jelstrom schleuse
Arlau-Speicherbecken
Holmer See
Holmer Fähre
08
Integrierte Station Holmer Siel
108
07
Rungholtsand
Elisabeth-Sophien-Koog
Windpark
Pohns-hallig-
Norderhafen
06
Alterkoog
Nordstrand
Nationalpark-Infozentrum
Seehundbeobachtung
04

Nordstrand
Seehundbeobachtung
Nationalpark-
Infozentrum
Alterko
04
hallig-
koog
Oster-
deich
England
Osterkoog
109
Vogelkoje
Süden
Herrendeich
Moor-
deich
Trender-
marsch
Vogelkoje
Windpark
Süderhafen
05
Kohl-
hof

S a n d h ö r n
Etappe 05
119
09
Amsinckhaus
BREDSTEDT
-koog
10
Hamburger Hallig
Hallig Kroog
R e u ß e n -
Sönke-Nissen-Koog-Schleuse
Speicher-becken
7
B u t t e r l o c h

Lüttmoorsee
k ö g e
Moorsteert
Norderplate
112
Arlau-
Arlauschleuse
Naturschutzstation
Jelstrom-
schleuse
Wester-
10

merkmal der Insel wurde; Ende der 1980er Jahre wurde der Frachtverkehr ganz auf die Straße verlegt, sodass der Süderhafen heute überwiegend als Sportboothafen fungiert.

Am Süderhafen wechselt der Radweg auf die Durchgangsstraße und folgt der Eversbüller Chaussee auf separater Radspur ins Innere der Insel: Kunsthandwerkläden prägen das Kirchdorf **Süden**, das eigentliche Zentrum von Nordstrand. Hier verlässt der Radweg die Durchgangsstraße und folgt der Stichstraße Westerdeich/Westen zur Fuhlehörn, Nordstrands Hauptbadestelle für Familien sowie Ausgangspunkt von Wattwanderungen und Watt-Kutschfahrten zur Hallig Südfall. Mit Blick auf die Halligen führt der grüne Seedeich westwärts.

Am Deichknick Dickehörn, der oft mit dem Seedeich von Theodor Storms Schimmelreiter Hauke Haien verglichen wird, winkelt der Seedeich nordwärts ab und führt nach **Strucklahnungshörn** am Fuhlen Schlot („fauler Kanal"). Strucklahnungshörn ist der wichtigste Hafen von Nordstrand. Er ist Heimathafen der Nordstrander Krabbenkutter, im Sommerhalbjahr bestehen regelmäßige Fährverbindungen zur Nachbarinsel Pellworm sowie Schnellbootverbindungen zur Hallig Hooge und zu den Inseln Amrum und Sylt.

Nordstrand, Süderhafen.

Vom Hafen führt der Deich – auch hier kann man außendeichs radeln – zur Mitteldeichshörn, wo er erneut ein wenig nach rechts abwinkelt und zum ehemaligen Hafenort **Norderhafen** 06 führt, dem Kurzentrum von Nordstrand. Vom 1958 geschlossenen Hafenbereich führen Stufen und ein Rollstuhlaufgang zum Café am Deich, der Blick fällt auf die seeartig große Pütte, die beim Aushub des Deichbaumaterials entstand, und auf das Kurzentrum.

Norderhafen – Amsinckhaus / 17 km / 1:40 Std.

Der grüne Seedeich führt weiter zum Campingplatz der Gemeinde **Elisabeth-Sophien-Koog** 07, an der Badestelle Elisabeth-Sophien-Koog fällt der Blick westwärts zur Insel Pellworm, im Nordwesten zeigt sich die Hallig Nordstran-

Der Beltringharder Koog

an der Mündung der Arlau ist mit 35,41 km² das größte Naturschutzgebiet Schleswig-Holsteins und ein bedeutendes Vogelrückzugsgebiet. Es handelt sich um einen durch Deiche geschaffenen Verbund aus Seen, Salzwiesen und Landwirtschaftsflächen, neben der zentralen Salzwasserlagune gibt es mehrere Brackwasserseen, in denen sich Süß- und Salzwasser vermischen. Hier finden sich nahezu alle Pflanzen und Tiere der Wattenmeerküste, selbst Seehunde: Neben Sandwatten mit Wattwurmkolonien finden sich Bestände von Seenelken, Miesmuscheln und Schwämmen, auf den künstlich aufgespülten Inseln brüten Seeschwalben, Säbelschnäbler und Regenpfeifer. Der Beltringharder Koog entstand 1987; durch eine der größten Küstenumbaumaßnahmen wurde die Nordstrander Bucht durch einen Deich geschlossen, die Insel Nordstrand wurde zur Halbinsel.

dischmoor, 1 km westlich der Seebadestelle befindet sich das Holmer Siel, und am nächsten Deichparkplatz wechselt der Nordseeküsten-Radweg an die Wasserlinie außendeichs (auch die Binnendeichsroute ist in diesem Fall interessant) und erreicht das **Holmer Siel** 08, wo Süß- und Brackwasser aus dem Arlauspeicherbecken durch vier Sielröhren in die Nordsee fließt und zweimal täglich das Meerwasser einströmt.

Die bewachte Seebadestelle Holmer Siel direkt nördlich des Siels besteht aus dem grünen Strandkorbstrand und einem aufgespülten Sandstrand. Der Deich, auf dem hin und wieder eine Panoramabank zum Verweilen einlädt, führt weiter nordwärts, nach Passieren eines ansatzweise halbinselartigen Vorsprungs erstrecken sich außendeichs Lahnungsfelder, während sich auf der Deichkrone die Salzwasserlagune des Beltringharder Koogs überblicken lässt; der Speicherbeckenwall trennt das Arlauspeicherbecken und die Lagune, die 2 m höher als der Wasserspiegel des Speicherbeckens liegt.

An der ersten asphaltierten Deichtrift kann man bequem zwischen dem Binnen- und dem Außendeichsweg wechseln, beide sind autofrei. Durch das Lüttmoorsiel strömt Wasser ein bzw. aus, auch Seehunde wandern durch das Siel.

Fuhlehörn, Blick nach Pellworm und zur Hallig Südfall.

Hinter dem Siel führt wieder eine Trift über den Deich; auf der Deichkrone ist der Großparkplatz Lüttmoor Siel mit Café-Restaurant am Ende der Lüttmoordamm-Stichstraße zu sehen. Über den Deich führt auch die Trasse der Lorenbahn nach Nordstrandischmoor. Die Hallig ist mit Lüttmoorsiel durch einen 3,5 km langen Lorendamm verbunden. Die 600-mm-Lorenbahn dient dem Wasserwirtschaftsamt Husum und wird außerhalb der Betriebszeiten von den Halligbewohnern benutzt, um Einkäufe auf dem Festland zu erledigen und Feriengäste auf die Insel zu holen; bei Hochwasser ist der Damm nicht befahrbar.

Auf der aussichtsreichen Krone des Deichs wird klar, warum der Parkplatz so gut belegt ist: Nach Niedrigwasser kehren Hunderte von Wattwanderer von der Hallig Nordstrandischmoor zurück und brausen sich an der Stranddusche den Schlick von den Füßen, ab zwei Stunden vor Hochwasser hingegen herrscht reges Badetreiben, Lüttmoorsiel ist eine vor allem von Familien gern aufgesuchte Badestelle, da die Warften der Hallig und der Lorendamm Nordstrandischmoordamm zur Hallig als Wellenbrecher fungieren. Das Café Lüttmoorsiel liegt am Ende des Lüttmoordamms zwischen dem Lüttmoorsee im Norden und der Salzlagune des Naturschutzgebiets Beltringharder Koog im Süden. Neben Café und Parkplatz befindet sich der Abstellpark der Lorenbahn zur Hallig Nordstrandischmoor.

Von Lüttmoorsiel folgt der Nordseeküsten-Radweg dem Seedeich autofrei geradeaus weiter, an den Deichübergängen ist der Wechsel vom Weg binnendeichs auf den Weg butendiek möglich, von der Deichkrone fällt der Blick hinaus aufs Wattenmeer mit den Halligen und Inseln sowie rechts über den Lüttmoorsee und die Köge hinweg zur bewaldeten Geest mit dem Stollbergturm bei Bredstedt. Bald nach Passieren der ersten Deichtrift verbreitern sich auf der Deichseite

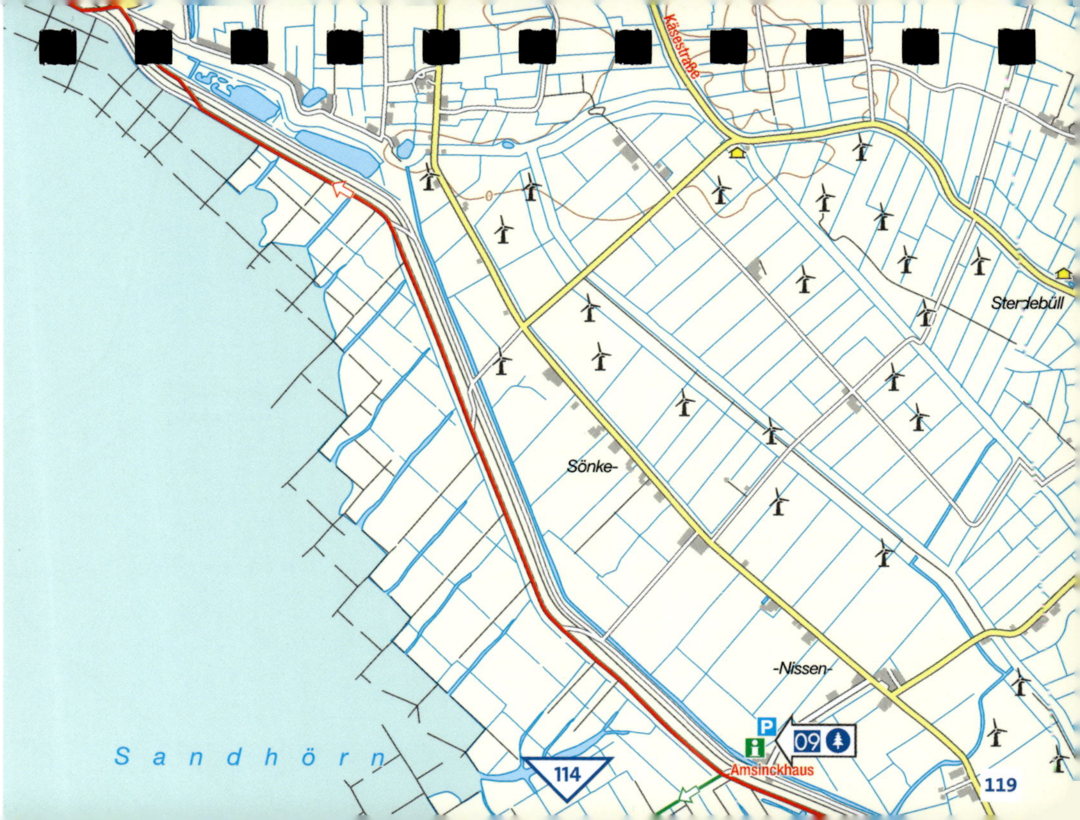

des Lüttmoorsees die Busch- und Gehölzstreifen. Der Damm vor dem Speicherbecken an der Sönke-Nisse-Koog-Schleuse, durch die das Hinterland entwässert wird, darf nicht betreten werden. Am Ende des Speicherbeckens führt der Nordseeküsten-Radweg geradeaus weiter, eine herrliche Fahrt am Rand des Sönke-Nissen-Koogs.

In dieser grünen, einsamen Landschaft taucht plötzlich ein Parkplatz auf: Das **Amsinckhaus** 09 am Seedeich vor dem Ansatz des zur Hamburger Hallig führenden Damms ist das Naturschutz- und Landschafts-Informationszentrum des mittleren Nordfriesland. Es informiert über die Region und den Nationalpark Schleswig-Holsteinisches Wattenmeer, Geschichte und Natur können durch interaktive Elemente erlebt werden, Filme zeigen Besonderheiten der Region und der friesischen Lebensart. Am Amsinckhaus unternehmen fast alle Nordseeküsten-Radler den kurzen Abstecher zur **Hamburger Hallig** 10.

Amsinckhaus – Dagebüll / 17 km / 1:40 Std.

Vom Amsinckhaus folgt der Nordseeküsten-Radweg dem Seedeich am Rand des Sönke-Nissen-Koogs weiter in autofreier Fahrt, wobei der Außendeichsweg ebenso wie der binnendeichs benutzt werden können. Wenn sich auf Höhe von Ockholm die Landstraße zwischen den Seedeich und den **Hauke-Haien-Koog** 11 schiebt, ist der aussichtsreiche Weg außendeichs die einzige weiterführende Route, man sollte jedoch nicht vergessen, über den Deich zu lugen: Am Rand des Hauke-Haien-Koogs hält sich fast ganzjährig eine derart riesige Zahl an Vögeln auf, dass hier eigens Vogelbeobachtungsparkplätze eingerichtet wurden. Der Radweg führt zum nahen Fährhafen **Schlüttsiel** 12 und erreicht wenig später den Bahnhof und den Fährhafen **Dagebüll Mole** 13, hier bestehen regelmäßige Fährverbindungen zu den Inseln Föhr und Amrum **Ziel**.

AUSFLUGSZIELE / SEHENSWÜRDIGKEITEN & EINKEHRTIPPS

Dockkoog 02

Die Seebadestelle Dockkoog ist Husums grüner Badestrand. Zweimal täglich läuft frisches Wasser auf, Badefreuden gibt es bei Hochwasser, ansonsten laden Strandkörbe in den Wiesen zum Sonnenbaden ein, vor Niedrigwasser beginnen geführte Wattwanderungen in den Nationalpark Schleswig-Holsteinisches Wattenmeer.

Husumer Butterkrieg: Das Königreich Dänemark ließ den Dockkoog errichten, um einen Kriegshafen vor dem damals dänischen Husum zu bauen. 1848 erfolgte der Deichschluss, allerdings verhinderte die Revolution von 1848, die in Husum „Butterkrieg" genannt wurde, den Bau des Marinehafens. Dockkoogarbeiter, empört über eine Erhöhung der Butterpreise, griffen in Husum das Buttergeschäft des Kaufmanns Hans in´e Huk an und beschädigten auch Nachbarhäuser. Unverzüglich trat die Husumer Bürgerwehr zusammen, wappnete sich mangels Waffen mit Knüppeln und drosch derart resolut auf die angetrunkenen Revolutionäre ein, dass diese nach der dritten Knüppelattacke das Weite suchten. Die Festgenommenen wurden zu 25 bzw. 30 Stockhieben auf den Rücken verurteilt; die Urteile wurden noch am selben Tag vollstreckt. Am folgenden Tag trafen zu Hilfe gerufene schwarze Husaren aus Schleswig und eine Kompanie Dragoner aus Rendsburg mit Schusswaffen ein, doch die Bürgerwehr hatte die Revolution schon niedergeknüppelt. Die Soldaten veranstalteten einen

Hafenstraße am Binnenhafen in Husum.

„Soldatenball“, kamen der weiblichen Bevölkerung näher und zogen wieder ab; angeblich kehrten mehrere später zurück, um in Husum zu heiraten.

Nordstrand 04

Nordstrand ist Seeheilbad im Nationalpark Schleswig-Holsteinisches Wattenmeer. Die ehemalige Marschinsel ist durch die Eindeichung des Beltringharder Koogs faktisch eine Halbinsel geworden, das Inselflair ist weiterhin erhalten. Somit ist Nordstrand die am leichtesten erreichbare Nordfriesische Insel: Der ab 1904 errichtete Nordstrander Damm verbindet sie mit dem Festland. Zu den einzelnen, meist kleinen Orten siehe die Routenbeschreibung.

Norderhafen 06

In Norderhafen befindet sich das Kurzentrum von Nordstrand mit Schwimmbad, Solarium, Fitnesscenter und medizinischen Bädern sowie dem Nationalparkhaus. Das Nationalparkhaus (Am Kurhaus 27) stellt das Wattenmeer in seiner Bedeutung für den Menschen dar – Sturmfluten, Küstenschutz, Naturschutz – und veranstaltet Führungen und Seminare.

Elisabeth-Sophien-Koog 07

Elisabeth-Sophien-Koog ist eine 70-Einwohner-Gemeinde im Nordwesten der (Halb-)Insel Nordstrand. Der Koog kennt keine Straßennamen, nur die Häuser werden nummeriert, in einem wurde der nachmalige Ministerpräsident Peter-Harry Carstensen geboren. Der dänische Bankier und Landreformer Graf Jean-Henri Desmercières ließ den Koog 1771 eindeichen, benannte ihn nach seiner Ehefrau Elisabeth Sophie und sorgte für die Unabhängigkeit der Bewohner; diese verteidigten ihre Selbstständigkeit auch gegen alle Eingemeindeversuche der 1970er Jahre.

Holmer Siel 08

Am Holmer Siel, wo sich eine der beliebtesten Badestellen von Nordstrand befindet, fließt Süß- und Brackwasser aus dem Arlauspeicherbecken durch vier Sielröhren in die Nordsee, und zweimal täglich strömt das Meerwasser ein. Das 540 ha große Arlauspeicherbecken liegt im Zentrum des Naturschutzgebiets Beltringharder Koog, dient der Entwässerung von 32.000 ha Binnenland und ist ein wichtiges Rückzugsgebiet für Vögel, im Frühjahr und im Herbst bevölkern Schwärme von Enten und Gänsen sowie viele Wattenmeervögel die Uferbereiche. Im Süßwasser des Beckens leben Aal, Barsch, Weißfische und der Europäische Flusskrebs ebenso wie Meerforellen. Eine Ausstellung in der Naturschutzstation am Holmer Siel erläutert ökologische Zusammenhänge, die Naturschutzstation veranstaltet auch Vogelexkursionen am Holmer Siel sowie naturkundliche Wattwanderungen zur Hallig Nordstrandischmoor.

Hamburger Hallig 10

Die Hamburger Hallig ragt wie eine Halbinsel vor dem Sönke-Nissen-Koog ins Wattenmeer hinaus, an ihrem Westufer befinden sich das Gasthaus „Hallig-Krog“ und eine Seebadestelle. Wie alle Halligen ist sie eine unbedeichte Marschinsel, ein ab 1860/75 errichteter Damm verbindet sie mit dem Festland, weshalb sie auch im Rahmen einer Wanderung oder Radtour erreichbar ist. Die als Vogelschutzgebiet bedeutenden Anlandungsbereiche beidseits des Damms verleihen ihr das Gepräge einer mit dem Festland verbundenen Halbinsel.

Die Salzwiesen längs des Fahrdamms zur Hamburger Hallig bilden mit 1.000 Hektar das großflächigste Salzwiesengebiet an der offenen Nordsee, Zehntausende in den Salzwiesen rastende Nonnengänse können den Abstecher zur Hallig im März/April zum unvergesslichen Erlebnis machen.

Von November bis Februar ist der Fahrdamm für den motorisierten Verkehr gesperrt, und auf der Hallig sind Berghänflinge, Ohrenlerchen und Schneeammern zu beobachten. Von März bis Oktober ist der Fahrdamm mautpflichtig: Während Wanderer den dreispurig geklinkerten 30-km/h-Fahrweg auf dem parallel geführten „Naturpfad Salzwiese" vorübergehend verlassen können, teilen sich in den Sommerferien Radwanderer den Fahrdamm mit motorisierten Stop-and-Go-Kolonnen. Auf der 6 m hohen Warf Schafberg längs der Zufahrt wohnt ein Naturschutzwart, der die Fragen bildungshungriger Hallig-Besucher beantwortet.

Der Fahrdamm endet am Halligparkplatz bei der reetgedeckten **Gaststätte „Hallig Krog"**, die von Ostern bis 31. Oktober bewirtschaftet ist, einem Stützpunkt des Nationalpark-Service und dem Ausstellungsgebäude „Watt-Werkstatt".

Von der Gaststätte führt der Strandweg zur **Seebadestelle** vor der aufgemauerten und durch Buhnen gesicherten Westflanke der Hallig. Im Nordwesten zeigen sich die Halligen Gröde und Habel, im Süden buckeln die Warften der Hallig Nordstrandischmoor aus dem Wasser, dahinter liegt im Südwesten die Insel Pellworm. Am Rand der Wiesen an der Seebadestelle finden sich schöne Plätze für eine Rast, ehe es auf dem Fahrdamm wie beim Hinweg zurückgeht zum Schafberg und zum **Amsinckhaus** 09.

Hauke-Haien-Koog 11

Der 1958–60 eingedeichte Hauke-Haien-Koog zwischen Ockholm und Schlüttsiel ist ein 1.200 ha großes Vogel- und Naturschutzgebiet. Er ist benannt nach dem Koog, der vor der alten Deichlinie entsteht, als die Hauptfigur von Theodor Storms Novelle „Der Schimmelreiter" einen neuen Seedeich mit revolutionärem „sanftem Profil" baut: „Der Schimmel ging in stolzem Galopp; vor seinen Ohren aber summte es: ´Hauke-Haien-Koog! Hauke-Haien-Koog!´ In seinen Gedanken wuchs fast der neue Deich zu einem achten Weltwunder; in ganz Friesland war nicht seinesgleichen! Und er ließ den Schimmel tanzen ..."

Der reale Hauke-Haien-Koog war der erste Koog, der nicht überwiegend landwirtschaftlicher Nutzung und zudem nicht der Besiedlung diente. Ein Teil war als Speicherbecken konzipiert und fungiert heute als Schutzgebiet für Seevögel. Während des Vogelzugs rasten zahlreiche Entenarten im Koog, der auch Brutplatz für Seeschwalben, Sandregenpfeifer und Säbelschnäbler ist. Knapp die Hälfte des Koogs wird als Ackerland genutzt.

Schlüttsiel 12

Schlüttsiel ist der nach dem gleichnamigen Siel benannte Fährhafen am Abschlussdeich des Hauke-Haien-Koogs. Hier bestehen regelmäßige Schiffsverbindungen zu den Halligen Langeneß, Gröde und Hooge sowie zur Insel Amrum, außerdem ist Schlüttsiel Ausgangspunkt der geführten Wattwanderungen zur Hallig Gröde. Die Seebadestelle Schlüttsiel liegt auf der Nordseite des Hafens vor einer Steinkante im Schlickwatt, auf das Sand aufgespült wird, eine Dusche ist ebenso vorhanden wie eine Einstiegshilfe mit Geländern. Zur Einkehr lädt das Restaurant-Hotel „Fährhaus Schlüttsiel" ein, zur Bildung das Naturschutz-Informationszentrum Jordsand; der Verein Jordsand betreut das Naturschutzgebiet Hauke-Haien-Koog.

Dagebüll 13

Dagebüll ist ein Knotenpunkt im Verkehr zwischen dem Festland, den Inseln Föhr und Amrum sowie den Halligen Oland und Langeneß. Am Hafen befindet sich der Endbahnhof Dagebüll Mole der Bahnlinie Niebüll–Dagebüll. 45 Minuten dauert die Überfahrt nach Wyk auf Föhr, knapp 2 Std. die Überfahrt nach Wittdün auf Amrum. Das Dagebüller Strandhotel lädt in Panoramalage zur Einkehr ein.

Mehr als 50 Halligen und Inseln bildeten vom Mittelalter bis in die Neuzeit die friesischen „Uthlande", die dem Festland vorgelagerten „Außenlande" im Wattenmeer. Auch Dagebüll Kirche und die anderen Ortsteile der Gemeinde Dagebüll waren Halligen, die zahlreichen Warften zeugen davon. Die ehemaligen Halligen der Gemeinde wurde von 1633 bis 1778 durch einen Deich landfest gemacht.

Der **Dagebüller Badedeich** ist ein grüner Strandkorbstrand mit Blick auf Sylt, Föhr, einen Teil Amrums und die Halligen sowie auf die Dagebüller Mole mit den Fähren nach Föhr und Amrum. Charakteristisch für den Dagebüller Badestrand sind die hochwasserfest verankerten bunten Badebuden. Während Strandkörbe gemietet werden können, werden die etwa 60 hölzernen Buden vererbt; sie dienen der Aufbewahrung von Badeutensilien, als Umkleidekabinen oder um einen Badetag ausklingen zu lassen bei einem Klönschnack und einem Pharisäer oder Köm.

Dagebüll, Alter Leuchtturm.

Der stillgelegte **Alte Leuchtturm** ist ein 15 m hoher Backsteinturm (1929) mit schwarzgrünem Kupferspitzdach; 1988 übernahm das Leitfeuer Dagebüllhafen seine Funktion.

Halligbahn: Am Wirtschaftshof des Wasser- und Schifffahrtsamtes hinter dem Alten Leuchtturm startet die Halligbahn. Diese Wirtschafts- und Versorgungsbahn überquert den Seedeich und führt auf einem 900 mm breiten Pfahljoch durch das Watt zu den Halligen Oland und Langeneß.

Dagebüll Kirche: 1727 wurde die unbedeichte Hallig, auf der damals eine Kapelle stand, landfest gemacht, 1731 wurde die Dionysius-Kirche erbaut, der schiefergedeckte Backsteinbau ist Wahrzeichen und Namensgeber des Orts; die Glocke stammt von 1584.

Tourismusinformation siehe ab S. 144
Übernachtungsverzeichnis siehe ab S. 146

Etappe 06 Dagebüll – Niebüll – Rosenkranz/Rudbøl

Von der Nordsee zur dänischen Grenze

40 km | 3:40 Std. | 4 hm | 4 hm

GPS-Koordinaten / Start
UTM Zone 32 — x: 480.200 m, y: 6.064.790 m

Startort: Dagebüll, 1 m

Start: Dagebüll, Am Badedeich 15, Parkplatz südlich des Hafens; am Hafen befindet sich der Endbahnhof Dagebüll Mole der Kleinbahn Niebüll–Dagebüll.

Ziel: Rosenkranz/Rudbøl, 1 m

Charakter: Leichte Fahrt auf überwiegend asphaltierten, teils auch geschotterten, teils naturbelassenen Wegen.

Verkehr: Überwiegend entweder für den öffentlichen Verkehr gesperrte Landwirtschaftswege oder verkehrsarme Nebenstraßen.

Tipp: Das Ziel ist von der Verkehrsinfrastruktur „Niemandsland“, man muss die Tour also verlängern bis zum Bahnhof Klanxbüll, siehe Seite 139 unten.

Ausflugsziele / Sehenswürdigkeiten & Einkehrtipps siehe S. 137–139

Etappe 06

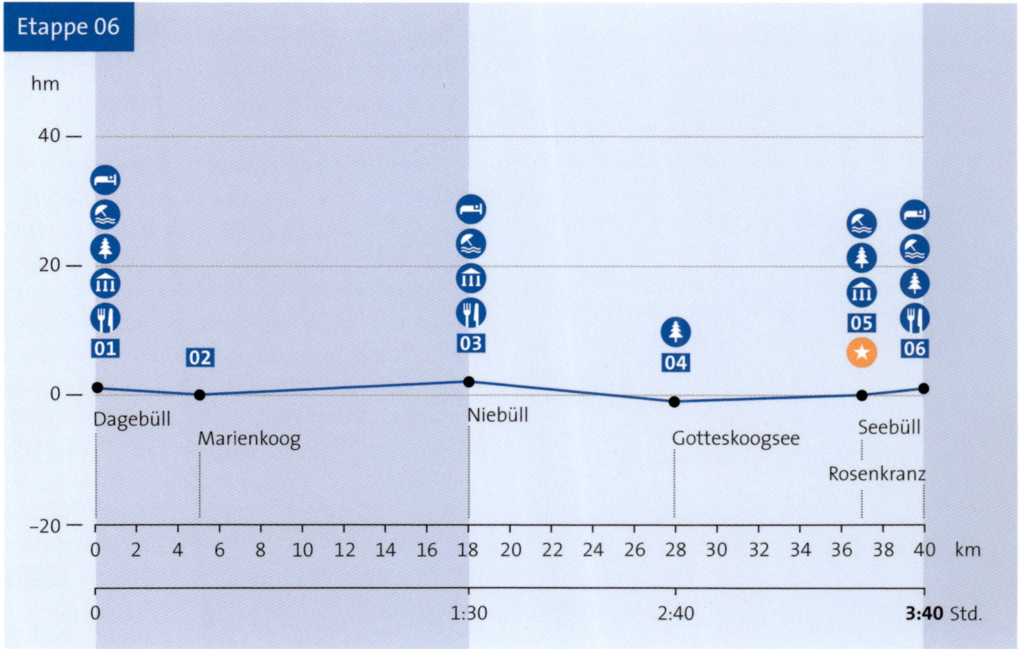

In Dagebüll leitet der Nordseeküsten-Radweg landeinwärts nach Niebüll, wo sich mit der Bahn ein Abstecher auf Deutschlands prominenteste Insel Sylt lohnt. Von hier sind es noch 20 km in einer paradiesischen Landschaft bis zur dänischen Grenze, kurz davor liegt Seebüll, der Wallfahrtsort für Freunde von Emil Nolde.

Dagebüll, Strand mit Lore zur Hallig.

Dagebüll – Niebüll / 18 km / 1:30 Std.

Start In **Dagebüll** 01 folgt die bald autofreie Stichstraße Am Badedeich dem namensgebenden Deich südwärts zur Jenswarft, wo der Deich links zum stillgelegten Alten Leuchtturm abwinkelt; dort startet die Halligbahn zur Fahrt nach Oland und Langeneß. An der daraufhin ersten links abzweigenden Straße (Halligweg) befindet sich der Einstieg in den Nordseeküsten-Radweg: Er folgt dem Halligweg nordwärts, quert die Gleise der Kleinbahn Niebüll – Dagebüll Mole und mündet in die Hafenzufahrt, hier rechts und am Kreisverkehr geradeaus längs der Landstraße, die erste geht es links ab in die Feldflur (Galmsbüller-Weg-Graben).

Der Marienkoog in der heutigen Gemeinde Galmsbüll wurde 1798 eingedeicht, in den folgenden Jahren wurde die Hallig Galmsbüll aufgegeben, und die Siedler zogen in den **Marien-**

Abstecher Sylt

Sylt ist die nördlichste und abwechslungsreichste Insel Deutschlands und mit 99 km^2 die größte deutsche Nordseeinsel; sie ist zugleich Deutschlands Sport- und Wellness-Insel Nr. 1. Wappentier von Sylt ist der Hering (dänisch: Sild, daher der Name Sylt), vom Mittelalter bis zum Deutsch-Dänischen Krieg 1864 gehörte die Heringsinsel zum Königreich Dänemark. Im ausgehenden 19. Jh. avancierte Westerland zum bedeutendsten Seebad Nordfrieslands, 1927 wurde es über den Hindenburgdamm mit dem Festland verbunden. Die prominenteste deutsche Insel wartet mit einer derart vielfältigen Naturausstattung auf, dass man auf dem 400 km langen Wanderwegenetz viele Jahre verbringen kann und immer wieder Neues entdeckt, Hauptradroute ist die Trasse der ehemaligen Inselbahn von Hörnum im Süden nach List im Norden. Ein Wahrzeichen der Insel ist das Rote Kliff, das in der aussichtsreichen Uwedüne mit 52 m die höchste Erhebung im Weltnaturerbe Wattenmeer bildet. Ein weiteres, fast alpin aufragendes Kliff ist das als nationales Geotop unter Schutz stehende Morsum-Kliff. Das Naturschutzgebiet Nord-Sylt umfasst Deutschlands größte Dünenerhebungen und Wanderdünen sowie die nördlichste Landspitze der Bundesrepublik. Die Braderuper Heide zählt zu den schönsten Heidelandschaften Norddeutschlands. Die Seebäder Westerland, Kampen und Wenningstedt liegen zwischen den 40 km langen Sandstränden und Dünen der Nordseeseite und den Salzwiesenanlandungen und Heideflächen der Wattenmeerseite. Da die Strände ohne schützende Hochsände oder Inseln der Nordsee ausgeliefert sind, werden sie während heftiger Winterstürme ins Meer gerissen und nach dem Winter wieder aufgespült. Hieraus erklären sich die im Vergleich zu den Nachbarinseln Rømø und Amrum schmalen Strände, die vielfach eine charakteristische Schieflage aufweisen.

Kirche in Rodenäs, Deutschlands nördlichster Festlandsgemeinde.

koog bzw. in das dortige Armenhaus, eine soziale Einrichtung, die aus den Steinen der auf der Hallig abgebrochenen Kirche errichtet worden war. Heute entstehen im Marienkoog Windkraftanlagen, die im Endausbau ganz Nordfriesland mit Strom versorgen sollen. Am **Gehöft**

Friesische Minderheit

Die Friesen leben an den Küsten und auf den Inseln des Wattenmeeres; ihr Name ist seit der Antike überliefert, lateinisch „Frisii". Es gibt West-, Ost- und Nordfriesen. In Deutschland sind die Friesen eine der vier nationalen Minderheiten; sie haben die deutsche Staatsbürgerschaft. In Schleswig-Holstein leben nach offiziellen Schätzungen 10.000 Friesen im küstennahen Westen des Landkreises Nordfriesland einschließlich der vorgelagerten Inseln und Halligen. Friesisch ist neben Deutsch zweite offizielle Amtssprache im Landkreis Nordfriesland. Das Friesisch-Gesetz von 2004 legt ferner fest, dass Ortstafeln und Beschilderungen an Gebäuden zweisprachig angefertigt werden können: Dagebüll Hafen – Doogebüll Huuven. Die Farben und das Wappen der Friesen können im Kreis Nordfriesland neben den Landesfarben und dem Landeswappen verwendet werden. Die friesischen Farben sind Gold-Rot-Blau. Der Leitspruch des nordfriesischen Wappens lautet: „Lever duad as Slav" (Lieber tot als Sklave). Friesen zeigen Flagge: Der Leitspruch ist vor vielen Höfen am Festland und auf den Inseln auf den im Nordseewind flatternden Fahnen zu lesen.

Vielerorts, insbesondere auf den Inseln, sind die Straßennamen nicht deutsch, sondern friesisch gehalten. Deutsche Zungen werden beim ersten Mal Schwierigkeiten damit haben. Ein „Stig" oder „Stich" bezeichnet einen Steig, unter einem „Waii" ist ein Weg bzw. eine Straße zu verstehen. Ein gutes Navigationsgerät versteht die friesischen Straßennamen, auch wenn sie wie „Üp de Hiir" aus mehr als einem Wort bestehen.

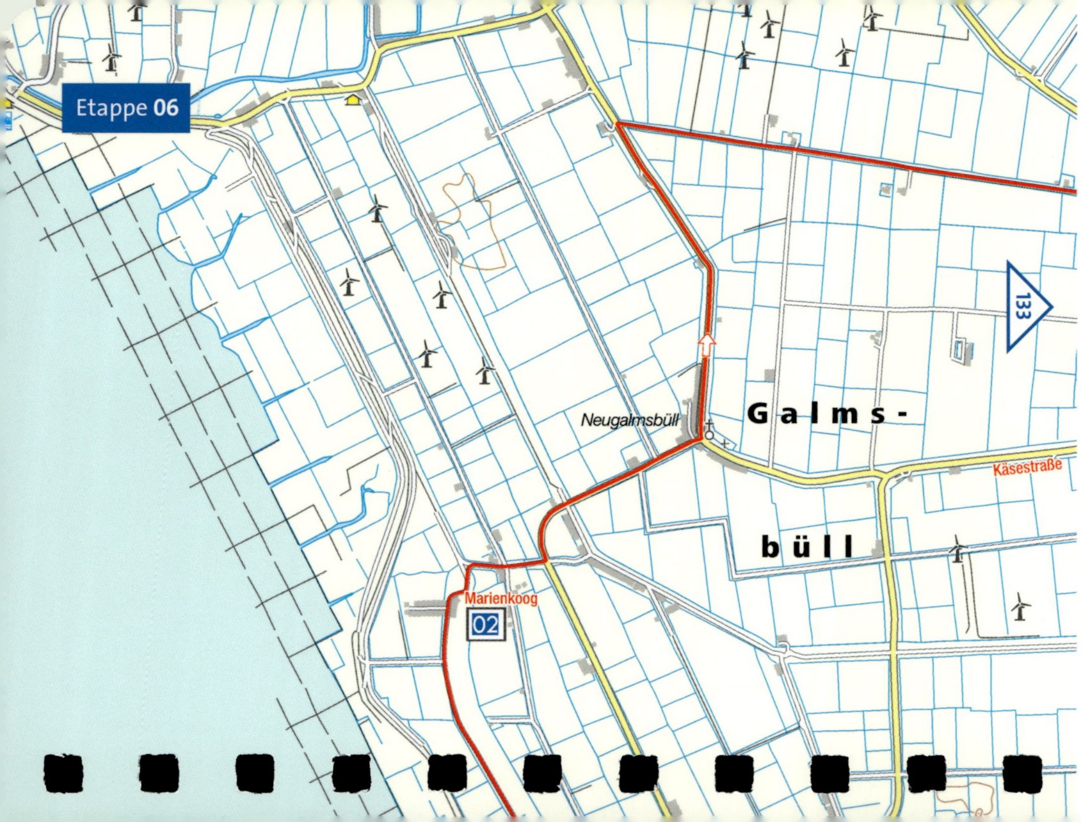

Aussichtshütte im Gotteskoog.

Marienkoog 02 heißt die im Vergleich zu den flotten Seedeichwegen schlecht befahrbare, von schweren Fahrzeugen ramponierte Landwirtschaftsstraße Galmsbüllkoog, kurvt rechts und hält auf den Spitzhelm der neugotischen Galluskirche von **Neugalmsbüll** zu, hier links auf dem Mühlendeich (Landstraße) und Mitteldeich am **Armenhaus** vorbei und bald darauf scharf

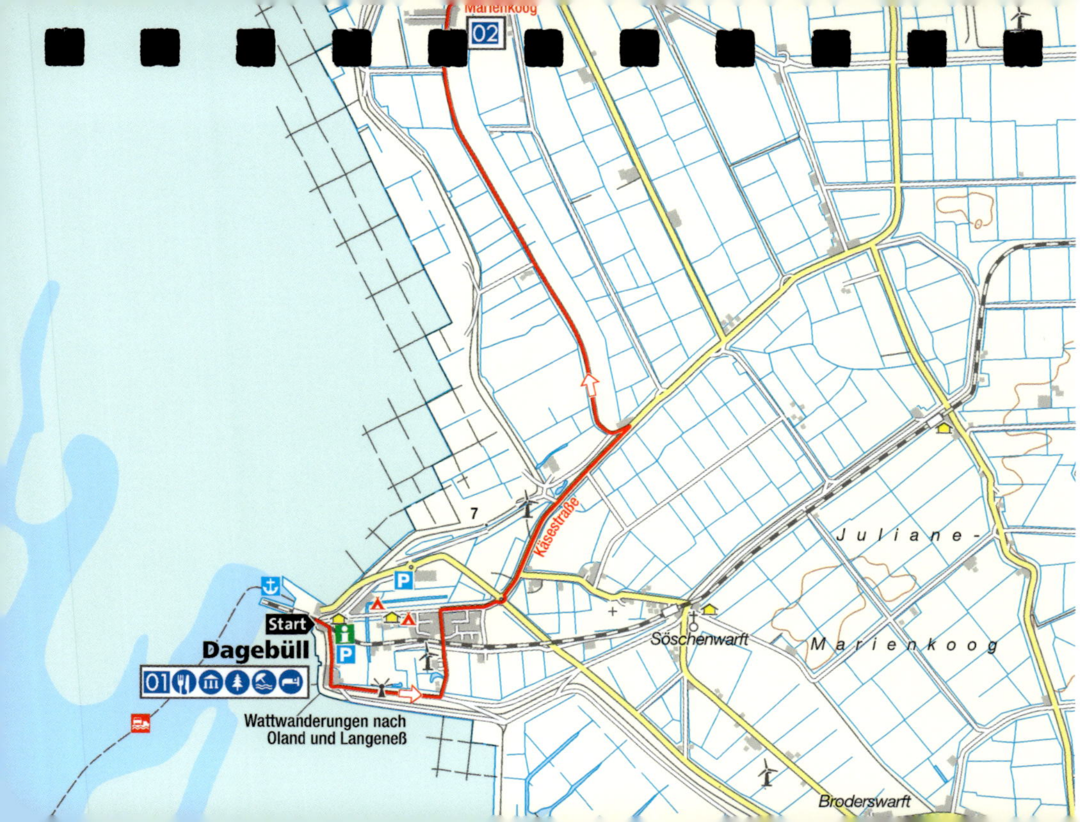

rechts auf dem Koogsweg, der durch den Alten Christian-Albrechts-Koog auf den Luftkurort Niebüll zuhält: Der Radweg erreicht den Ortsrand an der Niebüller Badewehle (Deichstraße), die um das Jahr 1600 während des Nordseeeinbruchs nach einem Deichbruch entstand und als Naturbad genutzt wird – ein schöner Platz für eine Rast, ehe die Markierungen in den Ortskern von **Niebüll** 03 weiterleiten.

Niebüll – Rosenkranz / 22 km / 2:10 Std.

Wir folgen den Radschildern durch die Hauptstraße ins Ortszentrum, übergehend in Uhlebüller Straße, bis die Gotteskoogstraße kreuzt und links hinaus in die Feldflur führt, dort unter dem Namen Süderstraße, am Ende Am Rollwagenzug über die Bahnlinie und die Landstraße immer geradeaus, bis rechts der Nordergotteskoogweg abzweigt und zur Kreisstraße führt. Sie leitet links weiter, wo dann gleich darauf der **Gotteskoog-**

Badewehle am Ortsrand von Niebüll.

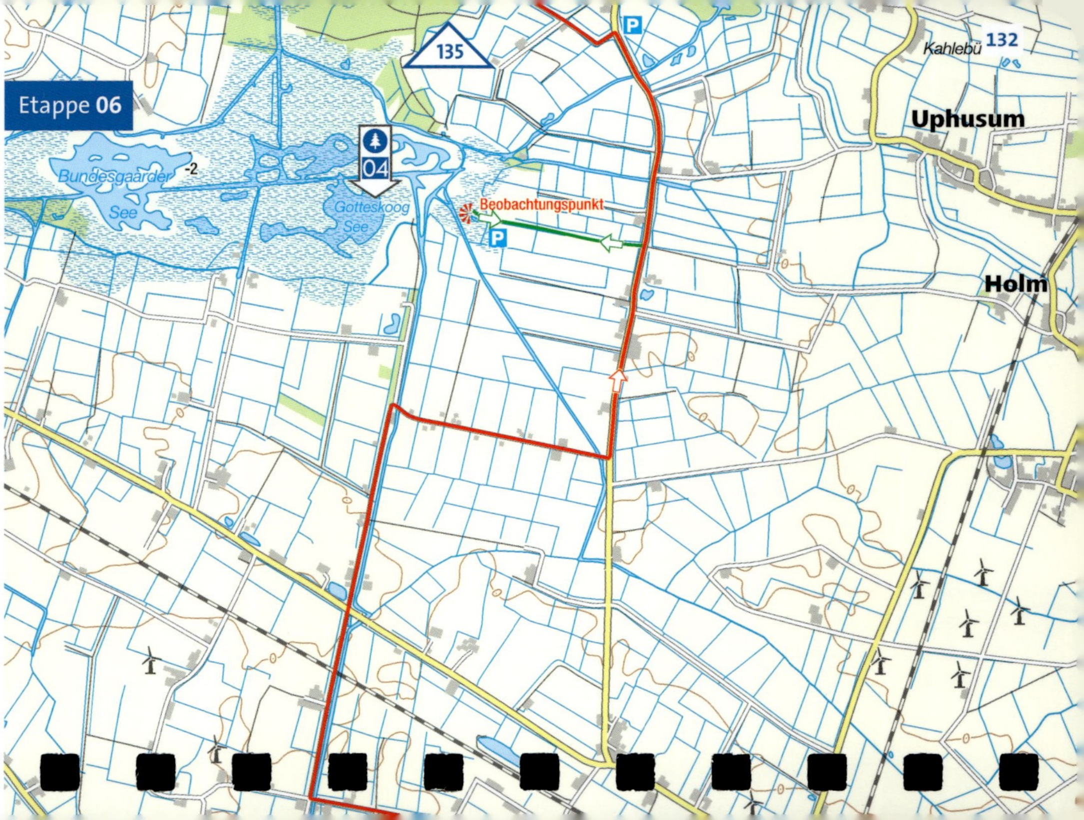

see 04 ausgeschildert ist, ein sehr schöner Platz für eine längere Rast.

Nach dem Abstecher zum See folgt der Nordseeküsten-Radweg der Kreisstraße weiter nordwärts, überquert die Schnerpe – den Sielzug zwischen Gotteskoogsee und Kahlebüller See (rechts) – und zweigt die erste links ab (Hattersbüllhallig), ab Ende links weiter auf der Kreisstraße (Krakebüller Straße) Richtung Neukirchen, bis rechts der Hülltoftweg Richtung Hülltofter Tief und **Seebüll** 05 abzweigt. Der kleine Angel- und Badesee Hülltofter Tief ist ein schilfgesäumtes Paradies mit Blick auf das Nolde-Anwesen Seebüll (zu dem vom See ein saisonal gemähter Grasweg führt).

Nur wenige Fahrradminuten nordwestlich von Seebüll erreicht der Nordseeküsten-Radweg am Ruttebüller See im Ortsteil **Rosenkranz** 06 der Gemeinde **Aventoft** die dänische Grenze **Ziel**.

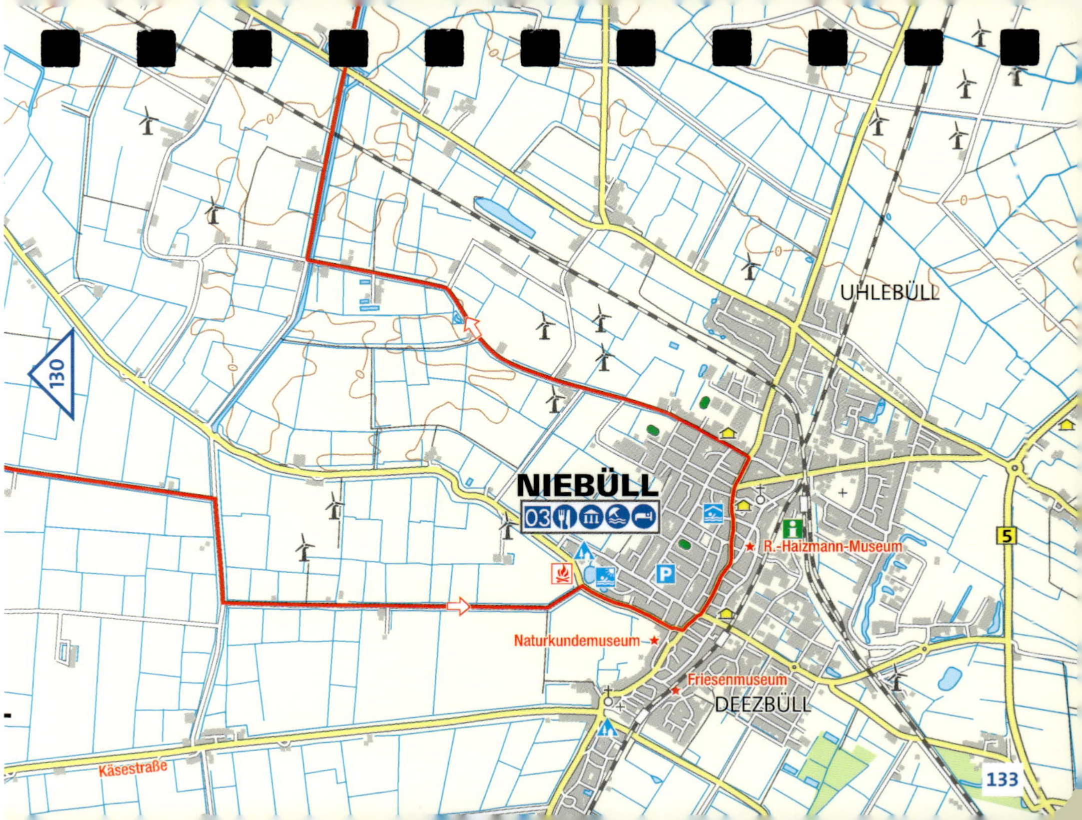

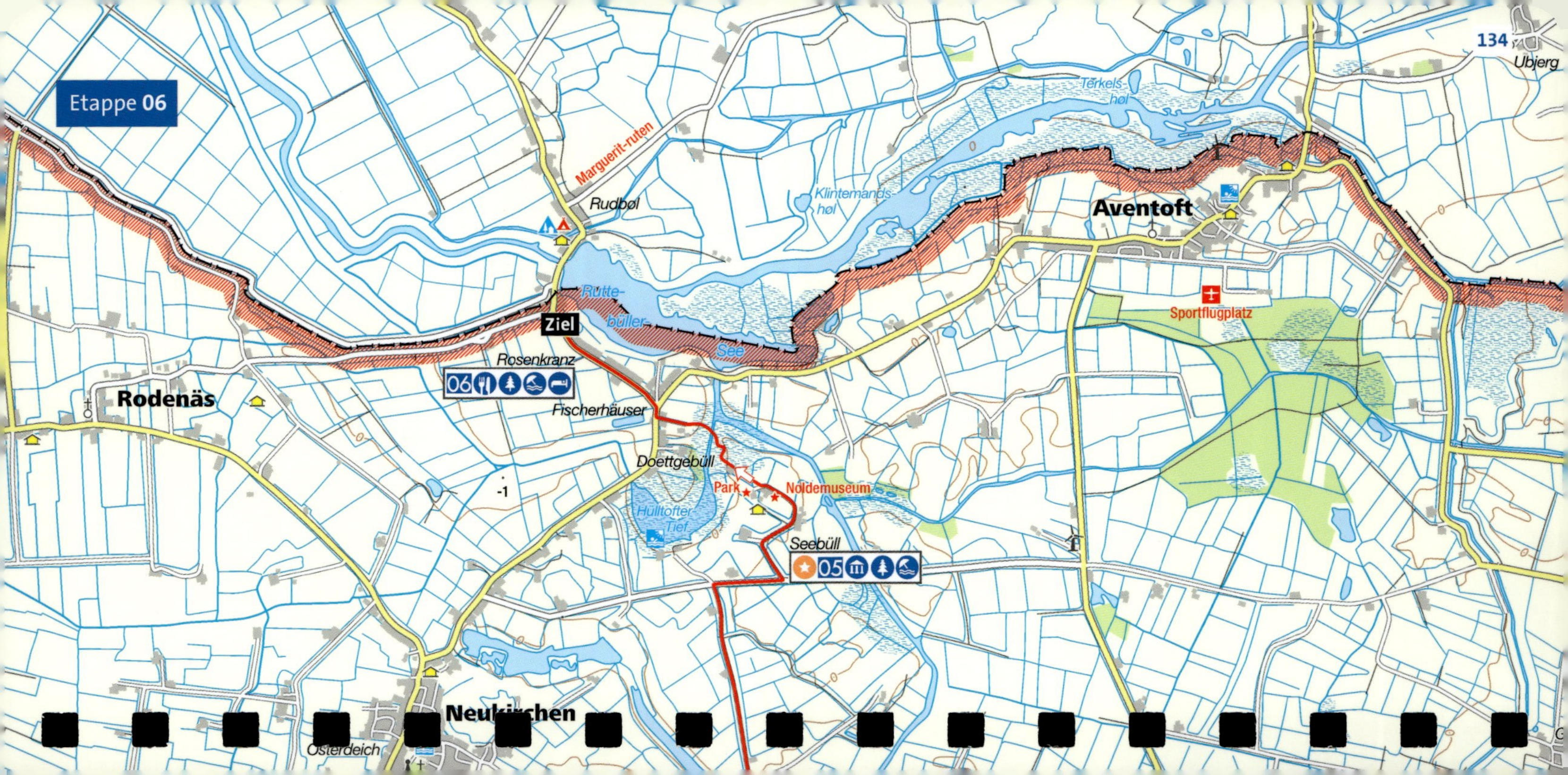
Etappe 06
Marguerit-ruten
Rudbøl
Tørkels-høl
Klintemands-høl
Ubjerg
Aventoft
Rutte-büller-See
Ziel
Rosenkranz
06
Rodenäs
Fischerhäuser
Sportflugplatz
Doettgebüll
Park
Noldemuseum
-1
Hülltofter Tief
Seebüll
05
Osterdeich

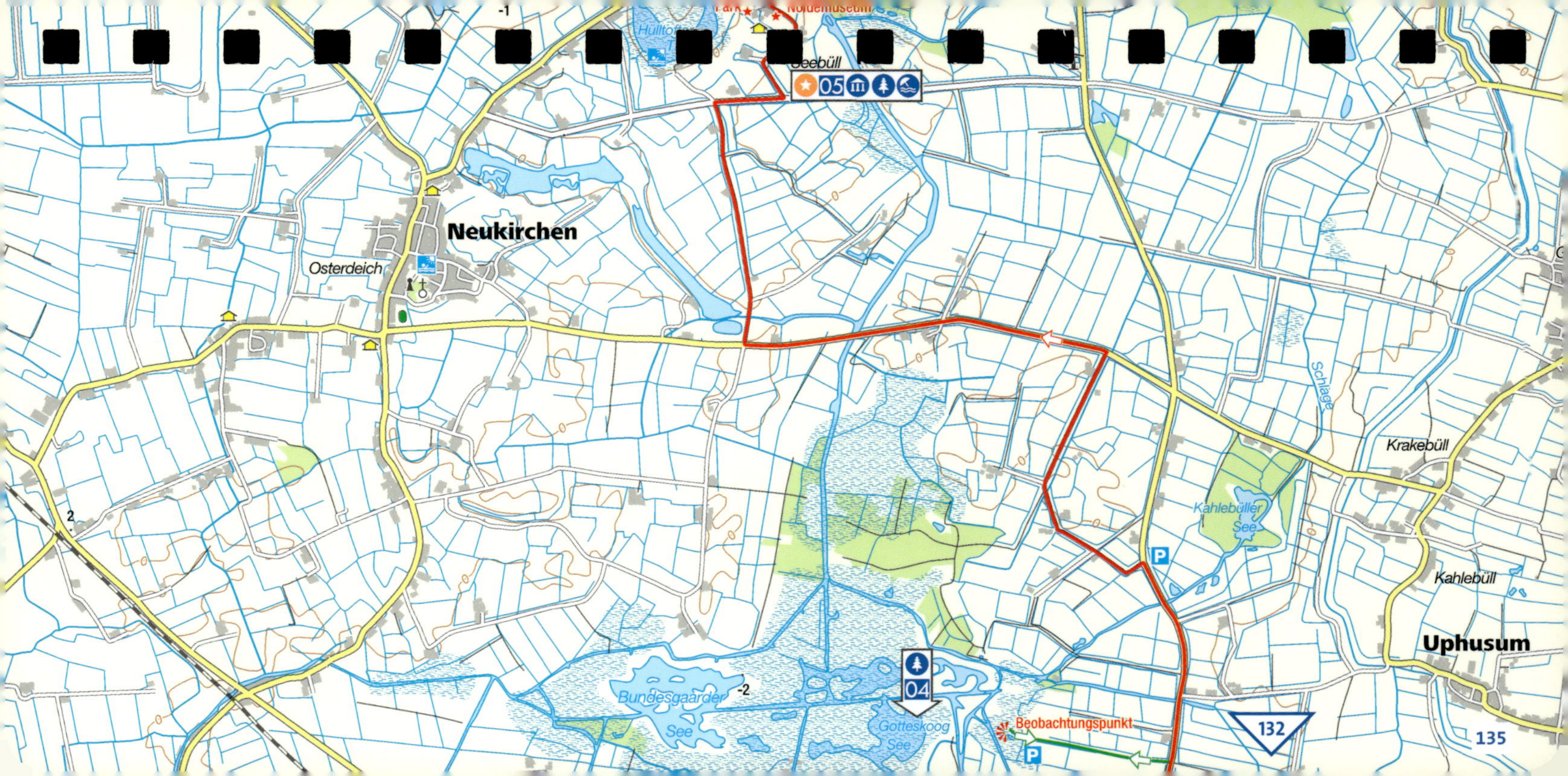

-1
Seebüll
05
Neukirchen
Osterdeich
Schlage
Krakebüll
Kahlebüller See
Kahlebüll
Uphusum
2
Bundesgaarder See
-2
04
Gotteskoog See
Beobachtungspunkt
132

Schwarze Sonne

Die Schwarze Sonne und die Ausweisung der deutschen Wattenmeer-Nationalparks als Weltnaturerbe haben dazu geführt, das 2010 der dänische Wattenmeer-Nationalpark gegründet wurde. Er erstreckt sich von der Grenze zu Nordfriesland nordwärts bis zum Leuchtturm Blåvandshuk an Dänemarks westlichster Landspitze bei Esbjerg. Im Nationalpark liegen die Wattenmeerinseln Rømø, Mandø und Fanø.
Das Vogelflugphänomen Schwarze Sonne (dänisch: **Sort Sol**) gilt als eines der großartigsten Naturschauspiele der Erde, Sonderzüge bringen seit Jahren Vogelbeobachter in die Wattenmeergebiete der Tördermarsch, wo im Frühjahr und im Herbst Millionen von Staren vor der Abendsonne „tanzen". Sie sammeln sich in der küstennahen Marsch, um sich Energiereserven für den Weiterflug in die Sommer- bzw. Winterquartiere anzufressen. Morgens und abends fliegen die Schwärme, die aus 100.000 und mehr Vögeln bestehen können, zum Tanz auf: Wie eine gigantische schwarze Wolke schiebt sich der Schwarm vor die untergehende Sonne.
Die **Töndermarsch** liegt in der südjütländischen Großgemeinde Tønder, die direkt an Nordfriesland anschließt. Da sich nur obrigkeitshörige Vögel an staatliche Grenzen halten, ist die Schwarze Sonne auch im Bereich des Rickelsbüller Koogs zu beobachten. Die Schwärme sind so groß, dass sie auch vom nahen Sylt aus zu sehen sind. Neben der Schwarzen Sonne sind im Lauf der Jahreszeiten auch andere Sonnen zu beobachten: im Winterhalbjahr die Weiße Sonne (Hvid Sol) mit großen Schwärmen wilder Schwäne, und die Graue Sonne (Grå Sol), wenn Zehntausende arktischer Gänse gleichzeitig auffliegen.

Wattenmeer, Möwen.

AUSFLUGSZIELE / SEHENSWÜRDIGKEITEN & EINKEHRTIPPS

Niebüll 03

Der Luftkurort Niebüll liegt auf einer 3 m hohen Geestinsel in der Marsch von Südtondern.

Der Bahnhof Niebüll, Bahnhofstraße 1, ist eine wichtige Schnittstelle an den Linien von Hamburg nach Westerland auf Sylt (Marschbahn bzw. Nord-Ostsee-Bahn), von Niebüll nach Dagebüll und von Niebüll ins dänische Tønder und nach Esbjerg. Südöstlich des Bahnhofs befindet sich der Autoverlade-Terminal des Sylt-Shuttles, des Autoreisezugs Niebüll – Westerland.

Hüllhofter Tief mit Seebüll-Blick.

Friesenmuseum: Der Frasche Feriin for Naibel-Deesbel än trinambai (Friesenverein Niebüll) betreibt am Osterweg 76 das Friesenmuseum Niebüll, ein Freilichtmuseum mit dem um 1700 erbauten Hof Broder Bahnsen, einem uthlandfriesischen Langhaus. Das Museum dokumentiert friesische Wohnkultur und Lebensweise aus der Zeit vor dem Ersten Weltkrieg.

Gotteskoogsee 04

Der Gotteskoog ist mit 10.400 ha Nordfrieslands größter Koog, als die Ramsar-Konvention ihn als „Feuchtgebiet von internationaler Bedeutung“ bezeichnete, begann 1982 die Renaturierung insbesondere des Gebiets rund um den 2,5 m unter NN gelegenen Gotteskoogsee.Neben Gänsen und Watvögeln bietet das Naturschutzgebiet Gotteskoogsee dem Seeadler Wohnraum, auch zahlreiche Zugvögel nutzen das Gebiet zur Rast.

Vogelbeobachtung: Vom Parkplatz Gotteskoogsee führt ein Fußweg zum Naturerlebnis-Aussichtspavillon, der von einem kleinen Hügel aus einen beeindruckenden Blick auf das von einem Damm und einem Ringkanal umgebene Feuchtgebiet Gotteskoogsee bietet.

Informationstafeln erläutern die Geschichte des 1566 eingedeichten Koogs.

Der **Rundwanderweg** führt hinab zum Ringkanal, überquert ihn auf einem Brückensteg und erreicht eine Aussichtsplattform vor einer der Wasserflächen. Von hier aus sind Graugänse, Haubentaucher, Rothalstaucher u. a. seltene Vögel zu beobachten. Wenig später überquert der Weg erneut den Ringkanal, leitet geradeaus durch ein Wäldchen und wendet sich dann rechts im Wechsel von Schilfflächen, Gehölzen und Wiesen, bis er den Sielzug Schnerpe erreicht; dieser verbindet den Gotteskoogsee und den 1984 im Rahmen eines Renaturierungsprojekts wieder erstandenen Kahlebüller See; letzterer liegt nur 2 km weiter nordöstlich, seine Feuchtheideflächen sind für botanisch Interessierte ein lohnenswertes Ziel. Vor 100 Jahren mieteten sich Ornithologen in Kahlebüll einen Kahn und ließen sich auf der Scherpe zum Gotteskoogsee rudern, um Vögel zu beobachten.
An der Scherpe entlang führt der Weg rechts weiter Richtung Gotteskoogsee, überquert den Wasserlauf auf einer Brücke und führt zurück zum Aussichtspavillon und zum Parkplatz.

Seebüll 05

Das Museum in Emil Noldes Wohnhaus auf der von ihm so genannten Warft „Seebüll" bei Neukirchen zeigt Gemälde, Aquarelle, Zeichnungen, Grafiken und „ungemalte Bilder" des Expressionisten. Nachdem ihm das nationalsozialistische Regime 1941 Malverbot erteilt hatte, entstanden seine „ungemalten Bilder": Aus Furcht, dass ihn der Geruch von Ölfarben bei Gestapo-Hausdurchsuchungen verraten könne, malte er sie in Aquarelltechnik und versteckte sie im Keller. Das Haus entwarf er 1927 im Stil der Bauhausarchitektur als Wohnhaus für sich und seine Frau Ada; hier und in dem ebenfalls von ihm entworfenen und der Besichtigung freigegebenen Garten arbeitete und lebte er bis zu seinem Tod 1956.
Emil-Nolde-Stiftung, Seebüll 31, 25927 Neukirchen, www.nolde-stiftung.de

Emil Nolde wurde 1867 unter dem Namen Emil Hansen im bis 1867 dänischen, ab 1867 preußischen und seit 1920 wieder dänischen Nolde bei Tondern/Tønder als Sohn eines Bauern geboren. Er absolvierte eine Lehre als Schnitzer und Möbelzeichner und wurde Lehrer in Sankt Gallen. Der Erfolg seiner Schweizer Postkartenserie „Die Bergriesen" (1895) – kleine farbige Zeichnungen der Schweizer Berge – legte den Grundstein für finanzielle Unabhängigkeit und ein Leben als freischaffender Künstler, 1902 heiratete er die dänische Schauspielerin Ada Vilstrup und nahm den Künstlernamen „Nolde" an. 1906/07 war er Mitglied der expressionistischen Künstlervereinigung Die Brücke, um 1910 fand er als Einzelgänger zu einem unverwechselbaren Malstil, gekennzeichnet von oftmals grell kontrastierter Farbigkeit und ekstatischer Formgebung („Tänzerin im roten Kleid", 1910). Die Farbe als wichtigstes Ausdrucksmittel wird häufig durch Konturlinien akzentuiert („In der Loge", 1911). Ab 1911 lebte er den Winter über in Berlin und den größten Teil des Jahres in Ruttebüll (bei Seebüll). Die Farblithografie „Junge Dänin" (1913) ist ein eindrucksvolles Beispiel für Noldes naturhaft magisch-mystische Weltsicht, die auf einer Südseereise 1913/14 verstärkt wurde und auch in vielen seiner norddeutschen Landschaftsbilder erkennbar ist („Bauernhof", 1924). Als sein Geburtsort bei der Volksabstimmung 1920 an Dänemark fiel, nahm er die dänische Staatsbürgerschaft an, obwohl er sich als Deutscher fühlte. 1926 zog er mit seiner Frau auf die deutsche Seite der Grenze und erwarb eine Warft, auf der er Seebüll gründete. Das nationalsozialistische Regime zeigte Nolde-Werke in der Ausstellung „Entartete Kunst" (1937).

Ruttebüller See.

Rosenkranz/Aventoft 06
Das Kirchdorf Aventoft ist Namensgeber der gleichnamigen Gemeinde an der deutsch-dänischen Grenze mit den Grenzübergängen Aventoft/Ubjerg und Rosenkranz/Rudbøl. Die Grenze am Übergang Rosenkranz/Rudbøl verläuft auf einer Länge von 130 m in der Mitte der Straße – die Anwohner östlich der Straße wohnen in Deutschland und ihre Nachbarn auf der anderen Straßenseite in Dänemark. Viele Reisende nutzen die mitten in der Straße eingelassenen Grenzsteine für ein Erinnerungsfoto, auf dem sie mit einem Bein in Deutschland und mit dem anderen in Dänemark stehen.

Tourismusinformation siehe ab S. 144
Übernachtungsverzeichnis siehe ab S. 146

Wie weiter an der dänischen Grenze ?

Die drei nächstgelegenen Bahnhöfe sind Süderlügum, Tønder und Klanxbüll, bis in die dänische Stadt Tønder sind es 10 km; vom Bahnhof Tønder fährt die Bahn via Süderlügum zurück nach Niebüll. Eine weitere Möglichkeit besteht darin, dem Nord-Ostsee-Radweg westwärts zum Rickelsbüller Koog zu folgen; südöstlich dieses bedeutenden Vogelschutzgebiets befindet sich der Bahnhof Klanxbüll an der Linie Hamburg–Westerland auf Sylt.

Reiseinformationen

ANREISE & ABREISE

Die An- und Abfahrtsbahnstrecke, die den Nordseeküsten-Radweg pinzipiell auf der ganzen Strecke nördlich der Elbe begleitet, ist die Linie Hamburg–Heide–Husum–Niebüll–Westerland/Sylt. Von ihr zweigen zur Küste die Bahnlinien nach Büsum, Sankt Peter-Ording und Dagebüll ab. Nur der Zielort Rosenkranz hat keinen Bahnanschluss, siehe Rückkehralternativen Seite 139; der nächste Bahnhof bei Rosenkranz ist Klanxbüll an der genannten Strecke Hamburg–Sylt.

ZENTRALE INFORMATIONSSTELLEN

Schleswig-Holstein
Das Tourismus-Portal des nördlichsten deutschen Bundeslandes wartet mit einer Fülle von Tipps und Informationen auf.
Tourismus-Agentur Schleswig-Holstein
Wall 55, 24103 Kiel, Service-Hotline Tel. 01805-600604, www.sh-tourismus.de

Nordfriesland
Nordfriesland-Tourismus GmbH
Am Badedeich 1, 25899 Dagebüll, Tel. 04667-981036, www.nordfrieslandtourismus.de

Eiderstedt
Tourismus Zentrale Eiderstedt
Markt 26, 25836 Garding, Tel. 04862-469, www.tz-eiderstedt.de

VERANSTALTUNGEN

21. FEBRUAR

Biikebrennen
Das Biikebrennen am Piddersdai (Peterstag) ist das urtümlichste Volksfest Nordfrieslands. Am Abend des 21. Februar ziehen Einheimische und Gäste hinaus zum Strand, um den Winter zu vertreiben. Weihnachtsbäume, Gestecke, das Holz zurückgeschnittener Büsche sowie „Petermännchen“ genannte Strohpuppen und eine den Winter symbolisierende Tonne werden am Strand verbrannt, zum Wärmen gibt es Glühwein und Friesenpunsch, das Finale ist das gemeinschaftliche Grünkohlessen. Das Biikebrennen soll sich im 18. Jh. aus dem Anzünden von Baken („Biiken“) entwickelt haben: Die Feuer am Strand leuchteten den zum Walfang aufbrechenden Männern hinterher. Wie die Fasnacht und das Osterfeuer reicht das Biikebrennen zurück in archaische Zeiten, die Traditionsstätten der Biike sind seit dem 19. Jh. die Inseln und Halligen, allein auf Föhr erhellen 14 Biikefeuer die Winternacht am Vorabend von Petri Stuhlfeier. Auch an der Festlandsküste – Sankt Peter-Ording, Dagebüll usw. – sowie im Binnenland, wo es gar keine Strände gibt, erfreut sich das Biikebrennen mittlerweile regen Zulaufs, jedes Dorf versucht, die größte Biike zu haben.

AN EINEM SAMSTAG IM MÄRZ:

Syltlauf

Der Syltlauf über 33,333 km in der Hauptwindrichtung von Hörnum im Süden nach List im Norden der Insel ist Deutschlands nördlichster Volkslauf. Er beginnt an einem Samstag im März mit der Startnummernvergabe und der Nudelparty im Congress Centrum Westerland, jeder Teilnehmer erhält außer der Nummer Nudeln mit Tomaten oder Sauce Bolognese. Am Sonntag schickt Hörnums Kurdirektor das meist noch leicht fröstelnde Einzel- und Staffelläuferfeld um 10 Uhr auf die Inselbahntrasse. Traditionell findet der Syltlauf bei jedem Wetter statt, bei orkanartigen Sturmböen mit Eis und Schnee wie 1984 und 1992 gegebenenfalls mit verkürzter Strecke. Den Rekord hält seit 2004 der Däne Jens-Henrik Jensen mit 1:51:51 Stunden.
Info: www.syltlauf.eu

Blick auf Husum.

MÄRZ:

Husumer Krokusblütenfest

Über 4 Millionen Krokusse tauchen den Schlossgarten von Husum zu Frühlingsbeginn in ein violettes Blütenmeer. Im Innenhof und im Seitenflügel des Renaissance-Schlosses präsentieren während des Krokusblütenfests Kunsthandwerker ihre Arbeiten und rund um den bekannten Tine-Brunnen auf dem historischen Marktplatz lädt die bunte Meile ein. Ein ganz besonderes Bonbon ist der Nachtwächter-Rundgang durch das nächtliche Krokusblütenmeer im Schlosspark.

MITTE MÄRZ – MITTE APRIL:

Hamburger Dom

Der Hamburger Dom auf dem Heiligengeistfeld im Stadtteil Sankt Pauli ist ein Volksfest mit bis zu über 10 Millionen Besuchern. Er wird dreimal im Jahr ver-

anstaltet: als Frühlingsdom oder „Frühlingsfest“ Mitte März bis Mitte April, als Sommerdom oder „Hummelfest“ Ende Juli bis Ende August und als Winterdom oder „Dom-Markt“ Anfang November bis Anfang Dezember. Der namensgebende Mariendom, vor und in dem sich Händler und Gaukler auf dem überschwemmungssicheren Geestrücken zwischen Alster und Elbe schon im Mittelalter einfanden, wurde bereits im Jahre 1805 abgerissen; der Name des Volksfests ist aber dennoch geblieben.

ENDE JULI:

Wattolümpiade

Hunderte Watthleten und Tausende Zuschauer finden sich jedes Jahr gegen Ende Juli zur Wattolümpiade in Brunsbüttel ein, organisiert vom Wattikan für einen guten Zweck: Die Einnahmen kommen regionalen Krebsgesellschaften zugute. Wattfußball,

Immer ein Foto wert: Die Rickmer Rickmers im Hamburger Hafen.

Wattwolliball, Schlickschlittenrennen und weitere ausgefallene Disziplinen werden bei den laut Wattikan „dreckigsten Spielen der Republik" im knietiefen Schlick ausgeübt: Die Mannschaften verschmelzen mit dem Watt, graue Wattlethen spielen gegen graue, vom Wattkampfleiter nur noch unterscheidbar durch die Augenfarbe. Die Wattkämpfe werden gerahmt von karnevalesken Festen und dem Benefizkonzert Wattstock-Festival. Info: www.wattoluempia.de

JULI – AUGUST:

Schleswig-Holstein Musik Festival

Das Schleswig-Holstein Musik Festival ist ein in den Sommermonaten Juli und August veranstaltetes Festival klassischer Musik unter Beteiligung international bekannter Stars. Den Rahmen bilden so unterschiedliche Räumlichkeiten wie Scheunen, Schlösser, Kuhställe, Stadthallen, Landhäuser, Kirchen und Schiffe. Veranstaltungsorte an der Nordsee sind unter anderen das Herrenhaus Haseldorf in der Haseldorfer Marsch, das Konzert- und Ballhaus Tivoli in Heide, die Marienkirche in Husum, die Johanniskirche in Meldorf, der „Friesendom" in Nieblum auf Föhr sowie die Nikolaikirche und die Autofähre MS Nordfriesland in Wyk auf Föhr.

AUGUST:

Husumer Hafentage

Die Husumer Hafentage sind das größte Volksfest an

Interessantes Spielfeld für die Wattolümpiade.

der Nordseeküste Schleswig-Holsteins. Die musikalischen und maritimen Programmhöhepunkte finden im August auf der Festmeile rund um Binnenhafen und Marktplatz statt, die Festmeile lädt auch zum Schlemmen ein, hinzu kommen ein Kutterkorso sowie diverse Sportveranstaltungen wie der Husumer Hafentagelauf und klassisches Tauziehen. Das beliebte Volksfest findet seit 1982 jedes Jahr unter dem Motto „Mok fast in Husum" statt: Mach fest in Husum!

SEPTEMBER:

RUN ums Rantumbecken

Der Volkslauf RUN ums Rantumbecken führt im September knapp 10 Kilometer auf den Deichen rund um das Naturschutzgebiet Rantumbecken auf Sylt. Der Startschuss für den Volkslauf fällt um 10 Uhr am Rantumer Hafen.

Orte/Tourismusbüros

AVENTOFT
Infozentrum Wiedingharde
Toft 1, 25924 Klanxbüll
Tel. 04663-313
www.wiedingharder-info-zentrum.de

AMRUM
Amrum Touristik
Am Fähranleger
25946 Wittdün auf Amrum
Tel. 04682-94030
www.amrum.de

BRUNSBÜTTEL
Tourist Information,
Gustav-Meyer-Platz 2
25541 Brunsbüttel,
Tel. 04852-836624
www.brunsbuettel.de

BÜSUM
Kur und Tourismus Service
Südstrand 11, 25761 Büsum
Tel. 04834-9090
www.buesum.de

DAGEBÜLL
Dagebüll-Niebüll-Touristik
Am Badedeich 1,
25889 Dagebüll
Tel. 04667-95000
www.niebüll.de

ELMSHORN
Verkehrs-und Bürgerverein
Probstendamm 7 (Torhaus)
25336 Elmshorn
Tel. 04121-268832
www.elmshorn.de

FRIEDRICHSKOOG
Tourismus-Service
Koogstr. 141 (Deichpassage)
25718 Friedrichskoog-Spitze
Tel. 04854-904940
www.friedrichskoog.de

GARDING
Stadt Garding
Welter Str. 1, 25836 Garding
Tel. 04862-10000
www.garding.de

GLÜCKSTADT
Glückstadt Destination
Große Nübelstraße 31
25348 Glückstadt
Tel. 04124-937585
www.glueckstadt.de

HAMBURG
Tourismus-Zentrale
Steinstraße 7,
20095 Hamburg
Tel. 040-30051300
www.hamburg.de

HEIDE
Heide Stadtmarketing GmbH
Markt 28, 25746 Heide
Tel. 0481-2122162
www.heide-nordsee.de

HUSUM
Touristinfo/Husumer Bucht
Hist. Rathaus, Großstr. 27,
25813 Husum
Tel. 04841-89870
www.husum-tourismus.de

MELDORF
Fremdenverkehrsverein Meldorf und Umland
Nordermarkt 10
25704 Meldorf
Tel. 04832-97800
www.meldorf.de

NIEBÜLL
Dagebüll-Niebüll-Touristik
Rathausplatz
25892 Niebüll
Tel. 04661941015
www.niebüll.de

NORDSTRAND
Kurverwaltung Nordstrand,
Schulweg 4
25845 Nordstrand
Tel. 04842-454
www.nordstrand.de

ROSENKRANZ (S. AVENTOFT)

SANKT MICHAELISDONN
Tourist-Information
Bahnhofstr. 26 (am Bahnhof)
25693 Sankt Michaelisdonn
Tel. 04853-807305
www.st-michaelisdonn.de

SANKT PETER-ORDING
Tourismus-Zentrale
Maleens Knoll 2
25826 Sankt Peter-Ording
Tel. 04863-9990
www.st.peter-ording.de

TÖNNING
Tourist- und Freizeitbetriebe
Am Markt 1, 25832 Tönning,
Tel. 04861-61420
www.toenning.de

UELVESBÜLL
Tourismusverein Witzwort-Uelvesbüll im Markttreff
Dorfstr. 3, 25889 Witzwort,
Tel. 04864-100504
www.nordfriesland.de

WEDEL
Stadt Wedel
Rathausplatz 3–5
22880 Wedel
Tel. 04103-7070
www.wedel.de

WESSELBUREN
Tourismusverein Wesselburen und Umland
Am Markt 5
25764 Wesselburen
Tel. 04833-4101
www.wesselburen.de

WESTERLAND AUF SYLT
Tourist Info Westerland
Friedrichstraße 44
25980 Westerland auf Sylt
Tel. 04651-9980
www.sylt.de

WYK AUF FÖHR
Tourismus GmbH Wyk auf Föhr, Hafenstraße 23, 25938 Wyk auf Föhr, Tel. 04681-300,
www.foehr.de

Das NABU-Haus auf der Hamburger Hallig.

Übernachtungsverzeichnis

€ = unter 30 EUR; **€€** = 30 bis 60 EUR; **€€€** = über 60 EUR Preis pro Person in DZ, incl. Frühstück

AVERLAK PLZ: 25715, Tel. (0)4855

Hof Lüttgens Appartement (€), Hauptstr. 149, Tel. 892969

BORSFLETH PLZ: 25376, Tel. (0)4124

Gasthof Zur Störmündung (€), Borsfleth-Ivenfleth, Ivenfleth 6, Tel. 89141

BREKLUM PLZ: 25821, Tel. (0)4671

Pension Ferienwohnungen Christiansen (€), Breklum-Riddorf, Riddorfer Ring 59, Tel. 930070, www.pension-christiansen.de
Doppelzimmer Meyer (€), Husumerstr. 38, Tel. 9426576

BROKDORF PLZ: 25576, Tel. (0)4829

Elbblick Hotel Sell (€), Dorfstr. 65, Tel. 9000, www.elbblick-brokdorf-hotel-sell.de

BRUNSBÜTTEL PLZ: 25541, Tel. (0)4852

Hotel Kleiner Yachthafen (€€), Hafenstr. 16, Tel. 9400933, www.hotel-kleiner-yachthafen.de
Hotel Zur Traube (€€), Markt 9, Tel. 54610, www.zur-traube-brunsbuettel.de
Hotel Schleusenhotel (€€), Koogstr. 67-71, Tel. 9880, www.schleusenhotel.de
Hotel Hamburger Hof (€€), Festgestr. 7, Tel. 83830, www.hotel-brunsbuettel.de
Ferienwohnung Witt (€), Blumenring 3, Tel. 51469, www.ferienwohnungen-brunsbuettel.de
Alte Schule (€), Schulstr. 1, Tel. 969712
Exclusiv Haus (€), Brunsbütteler Str. 21, Tel. 51400
Freizeitbad Brunsbüttel-Hüttendorf (€), Am Freizeitbad 1, Tel. 94045-0, www.freizeitbad-brunsbuettel.de
Haus am Elbedeich (€), Nordhusener Str. 43, Tel. 964351
Hotel Kleiner Yachthafen (€€), Hafenstr. 16, Tel. 9400933, www.hotel-kleiner-yachthafen.de
Übernachtung + Frühstück M. Gosch (€), Auf dem Deiche 9, Tel. 6440
Zimmervermietung Frädrich (€), Elbstr.12, Tel. 4728

BÜSUM PLZ: 25761, Tel. (0)4834

Hotel Dorn (€€), Deichstr. 15, Tel. 6030, www.hoteldorn.de
Hotel Pension Achtern Diek (€), Regenpfeiferweg 8, Tel. 8315, www.achter-diek-buesum.de
Hotel Windjammer (€), Dithmarscher Str. 17, Tel. 960430, www.hotel-windjammer.de
Hotel Pension Hauschild (€€), Norderpiep 6, Tel. 9710, www.hotel-hauschild.de
Apparthotel Benen Diken (€€), Große Tiefe 7, Tel. 9850, www.benen-diken.de
Hotel Hafen Büsum (€€), Österstr. 19, Tel. 9653000, www.hotel-hafen-buesum.de
Hotel Dorfkrug (€), Alte Dorfstr. 9, Tel. 2269, www.hotel-dorfkrug.de
Jugendherberge Büsum (€), Dr.-Martin-Bahr-Str. 1, Tel. 93371, www.jugendherberge.de
Pension Peters (€), Moltkestr. 15, Tel. 3899
Nordsee Bett & Bike (€), Büsumer Deichhausen, Marschenweg 19, Tel. 0176-29381234

GARDING PLZ: 25836, Tel. (0)4862

Herberge Garding De Schlopstuv (€), Norderweg 10, Tel. 8849
Hotel Gardinger Hof (€), Süderstr. 52, Tel. 257, www.gardinger-hof.de
Gästehaus Kronsburg (€), Tönninger Str. 45, Tel. 8118

GLÜCKSTADT PLZ: 25348, Tel. (0)4124

Bed & Breakfast Peschel (€), Herzhorner Str. 7, Tel. 932888
Blaues Haus (€), Drosselstr. 15, Tel. 1746
Jugendherberge Glückstadt (€), Am Rethövel 14-15, Tel. 604455

Sell's Bed and Breakfast (€), Kleine Deichstr.28, Tel. 890501
Hotel & Restaurant Raumann (€€), Am Markt 5-6, Tel. 91690, www.hotel-raumann.de
Der Däne (€€), Am Markt 3, Tel. 980980, www.der-daene.de
Tiessen's Hotel (€€), Kleine Kremper Str. 18, Tel. 2116, www.hotel-tiessen.de
Pension am Hafen 19 (€€), Am Hafen 19, Tel. 4906, www.pension-am-hafen.de
Gästehaus Eyland (€€), Am Kirchplatz 17, Tel. 588992, www.gaesstehaus-eyland.de
Bäckerei & Cafe Klingbeil (€€), Am Markt 7, Tel. 41247979, www.cafe-klingbeil.de
Pension Am Neuendeich (€€), Am Neuendeich 15, Tel. 890897, www.hotel-glueckstadt.de
Gästehaus Klindt (€€), Königstr. 53, Tel. 8254018, www.gaestehaus-klindt.de
Gästehaus Hilmes (€-€€), Flensburgerstr. 39, Tel. 890621, www.ferienwohnun-in-glueckstadt.de
Ferienwohnung Rosengang (€€), Rosengang 1, Tel. 5327, www.fewoglueckstadt.de

HAMBURG-ALTONA

PLZ: 22765, Tel. (0)40

Hotel CENTRAL (€), Präsident-Krahn-Str. 15, Tel. 040-306150, www.hotel-hamburg-central.de
Centrum Hotel Commerz (€-€€), Lobuschstr. 26, Tel. 391387, www.hotel-commerz-hamburg.de
Intercityhotel Hamburg Altona (€), Paul-Nevermann-Platz 17, Tel. 380340, www. intercityhotel.com
BEST WESTERN Raphael Hotel Altona (€€), Präsident-Krahn-Str. 13, Tel. 380240, www. bestwestern.de
MEININGER Hotel Hamburg City Center (€€), Goetheallee 11, Tel. 38023089, www. meininger-hotels.com
Hotel-Hamburg-Altona (€€), Hahnenkamp 8, Tel. 39908954, www. hotel-hamburg-altona.de

PLZ: 22767, Tel. (0)40

Hotel Stephan (€€), Schmarjestr. 31, Tel. 3895108, www.hotel-stephan.de
Hotel Stadt Altona (€€), Louise-Schroeder-Str. 29, Tel. 41307240, www.hotel-stadt-altona.de

HH-ALLERMÖHE

PLZ: 21037, Tel. (0)40

Hotel Am Deich (€€), Allermöher Werftstegel 3, Tel. 7237370, www.hotel-am-deich.de
Gästehaus Möller (€-€€), Allermöher Deich 259, Tel. 7232570, www.gaestehaus-moeller.de
Gästehaus Familie Witt (€-€€), Allermöher Deich 163, Tel. 0157 - 74 46 67 58, www.gaestehaus-moeller.de

HH-BILLWERDER

PLZ: 20539, Tel. (0)40

Hotel Holiday Inn Hamburg (€€-€€€), Billwerder Neuer Deich 14, Tel. 78840, www.hi-hamburg.de
Hotel Bridge Inn (€€), Billwerder Neuer Deich 2-4, Tel. 7360190, www.hotel-bridge-inn.de
Elbbrücken Hotel (€€), Billhorner Mühlenweg 28, Tel. 7809070, www.hotel-elbbruecken.de

HH-BLANKENESE

PLZ: 22589, Tel. (0)40

Hotel Blankenese (€€), Schenefelder Landstr. 164, Tel. 874742, www.hotel-blankenese.de
Strandhotel Blankenese (€€-€€€), Strandweg 13, Tel. 861344, www.strandhotel-blankenese.de

Das Gästehaus der Elb Lounge (€€), Manteuffel-str. 39, Tel. 88941660, www.dasgaestehaus.de
Hotel Behrmann (€€), Elbchaussee 528, Tel. 8669720, www.hotel-behrmann.de
Hotel Fritsche (€) Simrockstr.52, Tel. 8702876,
Campingplatz Elbecamp (€), Falkensteiner Ufer 101, Tel. 812949

HH-LANDUNGSBRÜCKEN

PLZ: 20459, Tel. (0)40

Jugendherberge „Auf dem Stintfang" (€), Alfred-Wegener-Weg 5, Tel. 5701590, www.djh-nordmark.de
Hotel Hafen Hamburg (€€), Seewartenstr. 9, Tel. 311130, www.hotel-hafen-hamburg.de
Agentur am Fischmarkt (€), Hohe Brücke 2, Tel. 89000890

HH-FINKENWERDER

PLZ: 21129, Tel. (0)40

Hotel „Kiek-in" Garni (€€), Nordmeerstr. 48, Tel. 7421550, www.hotel-kiek-in.de
HH-schlafen (€), Ploot 26, Tel. 28414714, www.hh-schlafen.de

Hotel The Rilano (€€-€€€), Hein Saß Weg 40, Tel. 300849700, www.rilano-hamburg.com
Hotel Am Elbufer (€€), Focksweg 40a, Tel. 7421910, www.hotel-am-elbufer.de

HH-HORN PLZ: 22111, Tel. (0)40

Jugendherberge Hamburg Horner Rennbahn (€), Rennbahnstraße 100, Tel. 5701590, www.jugendherberge.de
NH Hamburg-Horn Hotel (€), Rennbahnstr. 90, Tel. 655970, www.nh-hotels.de

HH-NIENSTEDTEN PLZ: 22609, Tel. (0)40

Hotel Louis C. Jacob (€€-€€€), Elbchaussee 401-403, Tel. 822550, www.hotel-jacob.de

HH-OCHSENWERDER PLZ: 21037, Tel. (0)40

Pension Deichnest (€€), Eichholzfelder Deich 14, Tel. 7374428, www.deichnest.de
Zimmervermietung am Deich (€€), Tatenberger Deich 31, Tel. 20911929, www.zimmervermietung-am-deich.de

HH-ST. PAULI PLZ: 20359, Tel. (0)40

Hotel Figaro (€€), Neuer Kamp 21, Tel. 4304270, www.hotelfigaro.de
Hotel St. Annen (€€-€€€), Annenstr. 5, Tel. 3177130, www.hotelstannen.de
Hotel Pacific (€-€€), Neuer Pferdemarkt 30-31, Tel. 4395095, www.hotel-pacific.de
Altan Hotel (€-€€€), Beim grünen Jäger 23, Tel. 4397322, www.altan-hotel.de
Zimmervermietung Krantz (€), Detlev-Bremer-Straße 44, Tel. 315112

HH-SCHNELSEN PLZ: 22457, Tel. (0)40

Ökotel Hamburg (€), Holsteiner Chaussee 347, 22457 Hamburg-Schnelsen, Tel. 040-559730-0

HH-TATENBERG PLZ: 21037, Tel. (0)40

Fährhaus Tatenberg (€), Tatenberger Deich 162, Tel. 7372227, ww.faehrhaus-tatenberg.de
Private Zimmervermietung am Deich (€), Tatenberger Deich 31, Tel. 20911929, www.ihre-private-zimmervermietung-vossberg.de

HASELAU PLZ: 25489, Tel. (0)4122

Haselauer Landhaus (€), Dorfstr.10, Tel. 98710

HATTSTEDT PLZ: 25856, Tel. (0)4846

Hof Kornmaas (€), Kornmaas, Tel. 220
Christiansen L.H. Gaststätte (€), Kirchenweg 30, Tel. 350, www.christiansens-gasthof.de

HATTSTEDTERMARSCH PLZ: 25856, Tel. (0)4846

Hotel Arlau-Schleuse (€), Hattstedtermarsch 43, Tel. 69900, www.arlau-schleuse.de

HUSUM PLZ: 25813, Tel. (0)4841

Best Western Theodor Storm Hotel (€€), Neustadt 60-68, Tel. 89660, www.theodor-storm-bestwestern.de
Thomas Hotel (€€), Zingel 7, Tel. 66200, www.thomas-hotel.de
Hotel & SPA Rosenburg (€€), Schleswiger Chaussee 65, Tel. 96050, www.hotel-rosenburg.de
Hotel am Schlosspark (€€), Hinter der Neustadt 74-86, Tel. 66110, www.hotel-am-schlosspark-husum.de
Hotel Osterkrug €€), Osterende 52-58, Tel. 66120, www.osterkrug.de
Hotel Hinrichsen (€€), Süderstraße 35-41, Tel. 89070, www.hotel-hinrichsen.de
Genießer Hotel Altes Gymnasium (€€€), Süderstraße 2-10, Tel. 8330, www.altes-gymnasium.de
Campingplatz Seeblick (€), Husum-Schobüll, Nordseestraße 39, Tel. 3321
Jugendherberge Husum (€), Schobüller Straße 34, Tel. 2714

KLANXBÜLL PLZ: 25924, Tel. (0)4668

Haus Boysen (€), Wiedingharder Neuer Koog 6, Tel. 92000, www.fewo.org

PLZ: 25927, Tel. (0)4664

Hotel Restaurant Klanxbüller Stuben (€€), Klanxbüller Str. 85, Tel. 503, www.klanxbueller-stuben.de

KLIXBÜLL PLZ: 25899, Tel. (0)4661

Renate Johannsen (€), Hauptstraße 53, Tel. 8132

KOLLMAR PLZ: 25377, Tel. (0)4128

Haus Sommerlust - Bed und Breakfast (€), Steindeich 4, Tel. 507
Hotel Kollmar (€), Am Deich 1, Tel. 941910

MELDORF PLZ: 25704, Tel. (0)4832

Ferienwohnung Much (€), Nordseestr.28, Tel. 1579
Flairhotel Zur Linde (€€), Südermarkt 1, Tel. 95950, www.linde-meldorf.de
Schnoor's Hotel Stadt Hamburg (€), Nordermarkt 2, Tel. 95880, www.hotel-schnoor.de
Hotel Dithmarscher Bucht (€€), Helgolandstr. 2, Tel. 7123, www.hotel-dithmarscher-bucht.de

NEUKIRCHEN PLZ: 25927, Tel. (0)4664

Landgasthof Fegetasch (€), Osterdeich 65, Tel. 202
Hotel Klanxbüller Stuben (€), Klanxbüller Str. 85, Neukirchen-Hesbüll, Tel. 503, www.klanxbueller-stuben.de

NIEBÜLL PLZ: 25899, Tel. (0)4661

Haus Süderende (€), Süderende 4, Tel. 0170-6251905
Jugendherberge Niebüll (€), Mühlenstr. 65, Tel. 937890, www.jugendherberge.de

NORDHASTEDT PLZ: 25785, Tel. (0)4804

Karstens Gasthof (€€), Heiderstr. 9, Tel. 267, www.karstens-gasthof.de
Gaststätte Zum Alten Bahnhof (€€), Bahnhofstr. 10, Tel. 267

NORDSTRAND PLZ: 25845, Tel. (0)4842

Camping Nordstrand Margarethenruh (€), Süderhafen 8, Nordstrand-Süderhafen, Tel. 8553
Familienpension Kühlmann-Seiler (€), Heverweg 20, 25845 Nordstrand-Süderhafen, Tel. 234, www.familienpension-bks.de
Gasthof Kiefhuck (€-€€), Kiefhuck 4, Nordstrand-Kiefhuck, Tel. 327, www.kiefhuck.de
Haus Deichblick (€-€€), Moordeich 1, Nordstrand-Süderhafen, Tel. 624, www.nordstrand123.de
Hotel Restaurant Café Am Heverstrom (€€), Heverweg 14, Nordstrand-Süderhafen, Tel. 8000, www.am-heverstrom.de
Landgasthof Pohnshallig (€-€€), Pohnshallig-koogstraße 17, Nordstrand-Pohnshalligkoog, Tel. 329, www.jacobs-nordstrand.de

OCKHOLM PLZ: 25842, Tel. (0)4674

Gasthaus Bongsiel (€), Am Kanal 2, Ockholm-Bongsiel, Tel. 445, www.bongsiel.de
Ferienwohnung Lorenzen (€€), Bäderstr. 11, Tel. 881, www.ferienwohnungen.de
Ferienwohnung deich-urlaub (€-€€), Koogstraße, Tel. 0171-7549908, www.deich-urlaub.de

PELLWORM PLZ: 25849, Tel. (0)4844

Hotel Friesenhaus (€€), Kaydeich 17, Tel. 990490; www.hotel-friesenhaus-pellworm.de
Kiek ut Nordseehotel Pellworm (€€), Hooger Fähre 6, Tel. 909 0; www.nordsee-hotel-pellworm.de
Landhaus Leuchtfeuer (€€), Süderkoogweg 10, Tel. 472, www.landhaus-leuchtfeuer.de
Pension Edda Meesenburg (€), Süderkoogweg 5, Tel. 457, www.urlaubbeimeesenburg.de
Gaststätte „Unter den Linden" (€€), Westertilli 23, Tel. 399 www.unterdenlindenpellworm.de
Gerd Clausen Ferienwohnungen (€€), Liliencron-weg 1, Tel. 990946 www.pellworm-urlaub.de

SANKT MARGARETHEN PLZ: 25572, Tel. (0)4858

Hotel Elbmühle (€), Hauptstr. 26, Tel. 188804, www.hotel-elbmuehle.de
Hotel-Café Margarethenhof (€), Dorfstr. 23, Tel. 8806, www.hotel-margarethenhof.de

SANKT MICHAELISDONN PLZ: 25693, Tel. (0)4853

Pension Gertrud Meyer (€), Brustwehr 22 A, Tel. 762
Ringhotel Landhaus Gardels (€€), Westerst:15-19, Tel. 8030

SANKT PETER-ORDING PLZ: 25826, Tel. (0)4863

Camping Silbermöwe (€), Böhler Landstr. 179, Tel. 5556, www.silbermoewe.de
Ording Beach Strandhostel (€), Strandweg 18-20, Tel. 4746366, www.ording-beach.de
Hotel St. Peter (€€), Rungholtstieg 7, Tel. 9040, www.nordseeresorthotel.de

Strandgut Resort Hotel (€€), Am Kurbad 2, Tel. 99990, www.strandgut-resort.de
Hotel Seeburg (€€€), Blanker-Hans-Weg 6, Tel. 96000, www.hotel-seeburg.de
Das Frühstückshotel Eickstädt (€€), Waldstraße 19-21, Tel. 96880, www.hotel-eickstaedt.de
Hotel Vierjahreszeiten (€€), Friedrich-Hebbel-Straße 2, Tel. 7010, www.hotelvierjahreszeiten.de
Pension Hitzsand (€), Pestalozzistr. 43, Tel. 3224
Hotel Landhaus an der Dün (€€€), Im Bad 63, Tel. 3224, www.hitzsand.de
Pension Seeblick (€), Im Bad 67, Tel. 2271, www.pension-seeblick-st-peter-ording.de
Pension Fortuna (€), Im Bad 21, Tel. 2224, www.pension-fortuna.com
Haus Ancoa (€), Dorf, Feldstr.16, Tel. 8201, www.haus-ancora.de
Pension Nackhörn (€), Ording, Kirchenstr.16, Tel. 2646, www.nackhoern.de
Pension Seerose (€€), Tating, Süderdeich 10, Tel. 102386, www.seerose-eiderstedt.de
ambassador hotel & spa (€€€), Im Bad 26, Tel. 7090, www.hotel-ambassador.de
Strandhotel St. Peter-Ording (€€), Im Bad 16, Tel. 96960, www.strandhotelstpeterording.de
Park Hotel (€€), Strandläuferweg 11, Tel. 2003, www.an-der-nordseekueste.de
Jensen's Hotel Tannenhof (€€), Im Bad 59, Tel. 7040, www.jensenstannenhof.de
Hotel Fernsicht (€€), Am Kurbad 17, Tel. 2022, www.hotel-fernsicht.de
Hotel Twilling (€€-€€€), Strandweg 10, Tel. 96630, www.hotel-st-peter-ording.de
Pension Dünenschloß (€€), Zum Südstrand 14, Tel. 2265, www.stpeterording.de
Dünenhotel Eulenhof (€€), Im Bad 91-95, Tel. 96550, www.duenenhotel-eulenhof.de
Hotel Christiana (€€-€€€), Im Bad 79, Tel. 9020, www.hotel-christiana.de
Hotel Haus Windschur (€€-€€€), Strandweg 7, Tel. 478480, www.hauswindschur.de
Gästehaus Godewind (€€-€€€), Waldstraße 31, Tel. 96900, www.kathmeyers.de

STADUM PLZ: 25917, Tel. (0)4662

Heuherberge Hedwigsruh (€), Hedwigsruh 6, Tel. 70531

TÖNNING PLZ: 25832, Tel. (0)4861

Biohotel Miramar (€€), Westerstr.21, Tel. 9090
Comfort-Camp Eider (€), Am Freizeitpark 1 A, 25832 Tönning, Tel. 04861-617148
Jugendherberge Tönning (€), Badallee 28, 25832 Tönning, Tel. 04861-1280

TORNESCH PLZ: 25436, Tel. (0)4122

Hotel Esinger Hof (€€), Denkmalstr. 7,Tel. 95270

UETERSEN PLZ: 25436, Tel. (0)4122

Parkhotel-Rosarium (€€), Berliner Straße 10, Tel. 92180, www.parkhotel-rosarium.de
Parkhotel-Rosarium (€€), Am Markt 7, Tel. 92510, www.hotel-am-rathaus-uetersen.de

WEDEL PLZ: 22880, Tel. (0)4103

Hotel Diamant (€€), Schulstraße 2-4, Tel. 702600, www.hoteldiamant.de
Hotel Senator Marina (€), Hafenstr. 28, Wedel-Schulau, Tel. 80770, www.hotel-senator-marina.de
Hotel Kreuzer (€€), Rissenerstr. 195, Tel. 1270, www.hotel-kreuzer.de
Hotel Pension Wedel (€€), Pinneberger Str. 69, Tel. 91360, www.hotel-pension-wedel.de
Hotel Freihof (€€), Am Marktplatz 6-8, Tel. 1280, www.freihof.de
Zimmervermietung Wedel (€€), Im Winkel 10a, Tel. 9659148, www.zimmervermietung-wedel.de

WESTERHEVER PLZ: 25881, Tel. (0)4865

Landhotel Kirchspielkrug (€), Dorfstr. 7, Tel. 90143, www.kirchspielkrug.de
Hof Edamshar (€), Heerstr. 1, Tel. 389, ww.eiderstedt.de

WILSTER PLZ: 25554, Tel. (0)4823

Hotel Busch (€), Kohlmarkt 38, Tel. 8252, www.greenline-hotels.de
Stücker's Hotel-Restaurant (€€), Am Markt 7, Tel. 238, www.hotel-stueckers.de
Hotel Prüß Frank (€€), Dückerstieg 7, Tel. 92929, www.dueckerstieg.de

Beeindruckende Wolkenspiele begleiten uns schon zu Beginn der Radtour, wie hier an der Elbe bei Glückstadt.

Register

Kartenempfehlung

Etappen Nr.	KOMPASS-Fahrradkarten Nr.
01	3006 Elbe-Weser-Dreieck, Bremerhaven, Stade; 3007 Hamburg, Altes Land, Alstertal 3008 Hamburgs Osten, Lübeck
02	3003 Dithmarschen, Heide, Brunsbüttel 3006 Elbe-Weser-Dreieck, Bremerhaven, Stade; 3007 Hamburg, Altes Land, Alstertal
03, 04	3003 Dithmarschen, Heide, Brunsbüttel;
05, 06	3001 Nordfriesland, Sylt, Amrum, Föhr

Alle Fahrradkarten im Maßstab 1:70 000

IMPRESSUM

Verlagsnummer 6008
ISBN 978-3-85026-751-9

Text und Fotos (soweit nicht anders angegeben): Bernhard Pollmann

Titelbilder:
Bild links: Blick auf die Nordsee (Foto: goodluz, © www.fotolia.de)
Bild Mitte: Rast auf dem Seedeich
Bild rechts: Pfahlbaurestaurant am Strand von Sankt Peter-Ording

Bild S. 22 (Janina Schalk), Bilder S. 34, 36 (Reiner Brockmann)

Grafische Herstellung: wt-BuchTeam, Garching a.d.Alz
Wanderkartenausschnitte: © KOMPASS-Karten GmbH, Innsbruck
Gestaltung und Konzeption: fpm, Factor Product GmbH, München

Haftungsausschluss

Alle Angaben und Routenbeschreibungen wurden nach bestem Wissen gemäß unserer derzeitigen Informationslage gemacht. Die Radtouren wurden sehr sorgfältig ausgewählt und beschrieben, Schwierigkeiten werden im Text kurz angegeben. Es können jedoch Änderungen an Wegen und im aktuellen Naturzustand eintreten. Radfahrer und alle Kartenbenützer müssen darauf achten, dass aufgrund ständiger Veränderungen die Wegzustände bezüglich Befahrbarkeit sich nicht mit den Angaben in der Karte decken müssen. Bei der großen Fülle des bearbeiteten Materials sind daher vereinzelte Fehler und Unstimmigkeiten nicht vermeidbar. Die Verwendung dieses Führers erfolgt ausschließlich auf eigenes Risiko und auf eigene Gefahr, somit eigenverantwortlich. Eine Haftung für etwaige Unfälle oder Schäden jeder Art wird daher nicht übernommen.

Für Berichtigungen und Verbesserungsvorschläge ist die Redaktion stets dankbar. Korrekturhinweise bitte an folgende Anschrift:

Walter Theil, Nikolausstraße 8, D-84518 Garching a.d.Alz
Tel.: 0049/(0)8634/689803, Fax: 0049/(0)8634/689804
info@wt-buchteam.de, www.wt-buchteam.de

KOMPASS-Karten GmbH, Karl-Kapferer-Straße 5, A-6020 Innsbruck
Tel.: 0043/(0)512/2655610, Fax: 0043/(0)512/2655618
kompass@kompass.at, www.kompass.at

© Fotolia

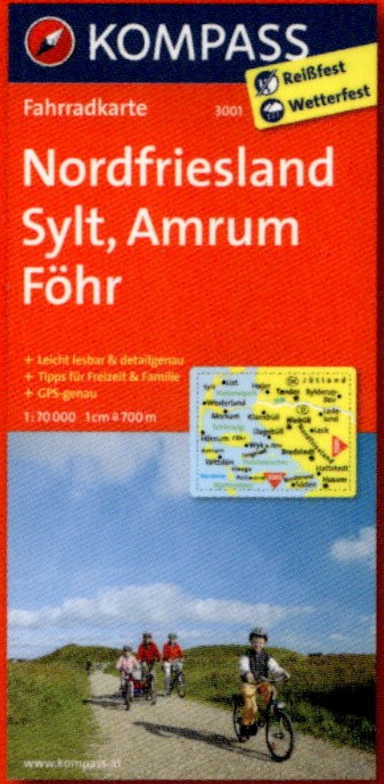
KOMPASS
Reißfest
Wetterfest
Fahrradkarte 3001
Nordfriesland Sylt, Amrum Föhr
+ Leicht lesbar & detailgenau
+ Tipps für Freizeit & Familie
+ GPS-genau
1:70 000 1 cm ≙ 700 m

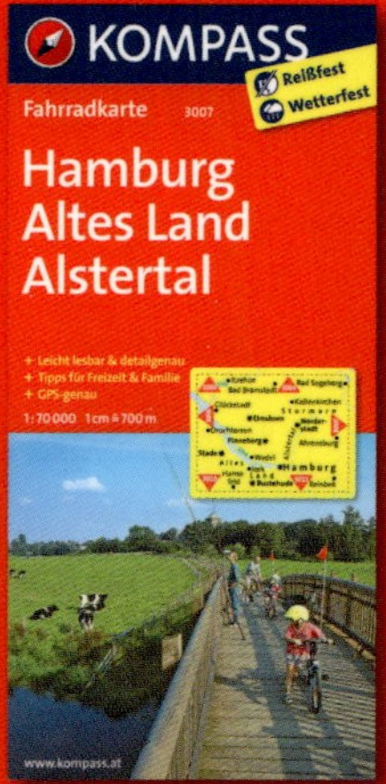
KOMPASS
Reißfest
Wetterfest
Fahrradkarte 3007
Hamburg Altes Land Alstertal
+ Leicht lesbar & detailgenau
+ Tipps für Freizeit & Familie
+ GPS-genau
1:70 000 1 cm ≙ 700 m

© Fotolia
KOMPASS
Die Nummer 1
führt zum Ziel
KOMPASS
Elberadweg 2 6298
Fahrradführer
Reißfest
Wetterfest
Elberadweg
Von Magdeburg nach Cuxhaven
von Hans-Peter Vogt
1:50 000 1cm = 500 m
8 Tagesetappen
+ Optimale Kartografie
+ Höhen-/Tourenprofile
+ Stadtpläne
+ Ausgewählte Tipps entlang der Strecken
Beschriftbar und abwischbar
www.kompass.de